LEWISIANA

Does dim rhaid i'r doeth a'r deallus
Ddarllen y Llyfr hwn.

— *Waldo Williams*

Cyflwynedig

I Rhiannon a'm

brawd-chwilfrydig-yng-nghyfraith Tom

ac i Wynford a'm gosododd

ar ben y ffordd

LEWISIANA

Casgliad personol D. Geraint Lewis o wybodaeth
Amrywiol
Amgen
Annisgwyl
bron yn Angenrheidiol, ar adegau'n Anghredadwy
Gafaelgar
G w a s g a r e d i g ac E a n g
Difyr a Diddan
gyda'r pwyslais bron i gyd ar ffeithiau am
Gymru, Cymreictod a'r Gymraeg
na welwyd mohonynt gyda'i gilydd erioed o'r blaen
rhwng dau glawr.

D. Geraint Lewis

Cymdeithas Lyfrau Ceredigion Gyf.

Cyhoeddwyd gan
Gymdeithas Lyfrau Ceredigion Gyf.,
Blwch Post 21, Yr Hen Gwfaint,
Ffordd Llanbadarn, Aberystwyth,
Ceredigion SY23 1EY

Argraffiad cyntaf: Medi 2005

ISBN 1-84512-035-3

Dyluniad clawr a mewnol
gan Olwen Fowler

Cefnogwyd y gyfrol
gan Gyngor Llyfrau Cymru

Argraffwyd
gan Creative Print & Design Cymru,
Glynebwy NP23 5XW

—— RHAGYMADRODD ——

Pan ofynnodd Cymdeithas Lyfrau Ceredigion imi a fyddai gennyf ddiddordeb mewn creu llyfr o restri, neidiais at y cyfle. Fel llyfrgellydd rwy'n gwerthfawrogi grym y rhestr – yn gatalog, llyfryddiaeth, mynegai ac mewn gwirionedd unrhyw lyfr cyfair. Yn fy amser hamdden rwyf wedi llunio geiriaduron a llyfrau eraill sydd i gyd yn rhestri o ryw fath neu'i gilydd.

Dyma gyfle imi lunio efallai ryw fath o restr amgen. Pwrpas symlaf rhestr yw bod yn gofweinydd – rhestr siopa neu restr o orchwylion i'w cyflawni yn ystod y dydd. Mae gennym yn Gymraeg un o'r rhestri cofweiniol mwyaf cynhwysfawr yn *Trioedd Ynys Prydain*. Rhestr yw hon o'r holl hanesion yr oedd gofyn i ddarpar fardd 'proffesiynol' eu gwybod cyn iddo fedru derbyn ei drwydded farddol, a'r rhain wedi'u gosod fesul tri er mwyn cynorthwyo'r cof.

Ail bwrpas rhestr yw gosod gwybodaeth mewn ffordd hawdd ei chyrraedd – gwybodaeth yr ydych chi wedi'i hanghofio neu ffeithiau nad ydych chi'n eu gwybod. Mae hyn yn gofyn gosod trefn ar y rhestr, yn arbennig os yw'n hir. Y drefn fwyaf cyffredin yw trefn yr wyddor (mynegai, geiriadur etc.), ond gellid ei gosod fesul testun (gwyddoniadur), fesul pennawd o fewn maes arbennig (llyfrau cyfair yn gyffredinol) neu yn nhrefn amser, sef trefn gronolegol.

Ond, un o'r pethau oedd yn fy nhynnu i at lyfr o restri oedd cyfle i fynd i'r afael â math arall o anwybodaeth. Os amcan llyfr cyfair yw eich arwain at wybodaeth yr ydych chi'n gwybod nad ydych chi'n ei gwybod, prif amcan y gyfrol fach hon yw eich arwain at wybodaeth nad oeddech chi'n gwybod nad oeddech chi'n ei gwybod! A sut mae darganfod y math yma o anwybodaeth ddau ddyblyg, wel mewn rhestr amgen fel hon – gobeithio.

Gair arall am y math yma o wybodaeth yw cyfrinach, a'r

gobaith yw y bydd unrhyw un sy'n pori drwy'r gyfrol fach yma yn dod ar draws rhyw 'gyfrinach', neu gyfrinachau hyd yn oed, nad oedd yn gwybod am ei bath o'r blaen.

Ond wedi ymhyfrydu yn y syniad o lyfr o gyfrinachau, cofiais am fy rhwystredigaeth fy hun ar ôl i mi fod yn pori mewn llyfr o ymadroddion pan fethais â dod o hyd, beth amser wedi hynny, i'r union ymadrodd y chwiliwn amdano – gan nad oedd mynegai i'r gyfrol. Dyma ddiolch felly i'm cyfaill a'm cyd-weithiwr William Howells am ymgymryd â thasg anos o lawer na llunio rhestri, sef gosod trefn ar yr wybodaeth yn ei Fynegai. Camp sy'n troi llyfr o fympwyon yn arf at iws.

Nid wyf wedi rhestru pob ffynhonnell wybodaeth. Lle mae'r wybodaeth wedi'i chasglu gan arall ac ar gael yn grwn, rwyf wedi nodi'r ffynhonnell. Yn gyffredinol hoffwn nodi *Llafar Gwlad* a llawer o gyhoeddiadau Gwasg Carreg Gwalch. Rwy'n diolch hefyd i'r cyfeillion canlynol am eu cymorth parod: Andrew Hawke o *Geiriadur Prifysgol Cymru*, Huw Fitzpatrick, Gwyn Davies hen gyfaill o Ynys-y-bŵl, John Jones Pennaeth Ysgol Gynradd Tregaron, ac yn ôl at William Howells eto. Diolch hefyd i Dylan Jones o Amgueddfa Sain Ffagan ac Ann Ffrancon o'r Llyfrgell Genedlaethol am eu cymorth gyda'r rhestr o bencampwyr.

Diolch i Gwenllïan Dafydd a Dylan Williams o Gymdeithas Lyfrau Ceredigion am eu hamynedd a'u trylwyredd gyda'r gwaith, a braf yw cydnabod cefnogaeth Cadeirydd y Gymdeithas, Dr Brynley F. Roberts a fu'n diwtor arnaf ryw flwyddyn neu ddwy yn ôl erbyn hyn. Diolch hefyd i Gordon Jones a Meinir McDonald. Ond heb gyfraniad gweddnewidiol y dylunydd, Olwen Fowler, cyfrol tra gwahanol fyddai hon. Diolch iddi. Am bob mefl a bai a erys, ac mewn gwaith fel hyn mae'n anochel y bydd yna rai, fy eiddo i fy hun ydynt.

D. Geraint Lewis
Llangwyryfon, Mehefin 2005

— ENWAU BACHIGOL/ANWYLO —

Barti .... Bartholomew

Beca .... Rebeca

Bedo .... Maredudd

Begw .... Megan

Beti, Betsan .... Elisabeth

Bethan .... Elisabeth

Bili .... William

Bilws .... Bilim

Brân .... Bendigeidfran

Bron, Broni .... Bronwen

Cadi, Cati .... Catrin

Cadog .... Cadfael

Cari, Ceri .... Ceridwen

Cerian .... Ceri

Cled .... Cledwyn

Dafi .... Dafydd

Dai, Dei .... David

Deian .... Dei

Dicws .... Dic (Richard)

Eic .... Isaac

Euros .... Euroswydd

Fanw .... Myfanwy

Fryn .... Avarinah

Gaenor .... Gwenhwyfar

Griff, Gruff .... Gruffudd

Guto .... Gruffudd

Gutyn .... Gruffudd

Gwen .... Gwenhwyfar

Gwen .... Gwenllïan

Gwennan .... Gwen

Gwenno .... Gwen

Hob, Hobyn .... Robin

Ianto .... Ifan, Ieuan

Iolo .... Iorwerth

Leri ...... Eleri, Meleri, Teleri

Lisa .... Elisabeth

Lona .... Moelona

Lyn .... Llywelyn

Lyn .... (E)luned

Llew .... Llewelyn

Llio .... Gwenllïan

Mal .... Maldwyn

Malen .... Magdalen

Mati .... Marged

Meg .... Margaret, Megan

Mei .... Meilir

Men .... Menna

Moc .... Morgan

Moi .... Morris

Mwc, Mwcyn .... Morgan

Myfi .... Myfanwy

Nanno .... Ann

Nedw, Ned .... Edward

Nest .... Agnes

Now .... Owen

Nye .... Aneirin

Owi .... Owen

Rina .... Avarinah

Rhona .... Rhonwen

Sianco .... Siencyn

Siani .... Siân

Sioni, Sionyn .... Siôn

Twm .... Tomos

Wenna .... Owenna

—— CYFENWAU O'R GYMRAEG ——

Cofiwch fod ansoddair sy'n dilyn enw person fel 'cyfenw' yn Gymraeg yn treiglo, megis Dafydd Gam, Iolo Goch, a'r ffurf wedi'i threiglo a geir gan amlaf yn Saesneg. Yr oedd 'mab' yn treiglo'n 'fab'; yr 'f' yn cael ei cholli, a'r 'b' yn caledu o flaen cytsain ond yn sefyll o flaen llafariad: mab – fab – ab – ap

Allett	Aled	Gittings	Guto
Beddoes	Bedo	Gooch, Gough	Coch
Bellis	ab Elis	Gwilliam	Gwilym
Bennyon, Beynon	ab Einion	Hier	Hir
Bevan	ab Ifan	Hopkins	Hopcyn
Blainey	Blaenau	Howells	Hywel
Blythin	Bleddyn	Jones	Siôn
Bonner, Bunner	ab Ynyr	Kemys	Cemais
Bowen	ab Owen	Kenfyn, Kenwyn	Cynfin
Brace	Bras (tew)	Lloyd	Llwyd
Breeze, Bryce	ap Rhys	Mayler	Meilir
Brymor	Brynmor	Mayne	Main (tenau)
Bumphrey	ap Wmffre	Mellings	Melyn
Caddick, Caddock	Cadog	Merrick, Meyrick	Meurig
Cecil	Seisyllt	Parry	ap Harri
Clough	Cloff	Penry	ap Henri
Cogan	Cadwgan	Povey	ap Hwfa
Cule	Cul (tenau)	Powell	ap Hywel
Davy, Davies	Dafi, Dafydd	Price	ap Rhys
Day	Dai	Pritchard	ap Rhisiart
Dee	Du	Probert	ap Robert
Devonald	Dyfnwal	Prosser	ap Rhosier
Dewey	Dewi	Protheroe	ap Rhydderch
Egham	Fychan	Prydderch	ap Rhydderch
Elias, Ellis	Elisedd	Pughe	ap Huw
Elvis	Eilfyw	Rosser	Rhosier
Ethall	Ithel	Treharne	Trahaearn
Evans	Ifan, Evan	Trevor	Trefor (tre fawr)
Eynon	Einion	Vaughan	Fychan (bychan)
Floyd	Llwyd	Voyle	Foel (moel)
Games	Cam (crwca)	Worgan	Gwrgan
Gethyn	Cethin (lliw tywyll)		

Y SAITH PECHOD MARWOL

balchder, cenfigen, chwenychu, dicter, diogi, glythineb, trachwant

Y PRIF RINWEDDAU

cyfiawnder, cymedroldeb, dewrder, pwyll

Y PUM SYNNWYR

gweld, clywed, blasu, arogli, teimlo

Yn Gymraeg yr ydych yn gallu 'clywed'
pob un o'r synhwyrau hyn ac eithrio 'gweld'.

NODWEDDION PETHAU BYW

anadlu, atgenhedlu, symud, teimlo, tyfu, ymborthi, ysgarthu

SAITH RHYFEDDOD YR HEN FYD

1 ... Pyramid Ghiza yr Aifft, bedd y Pharo Khufu
2 ... Gerddi Crog Babilon, rhan o balas y brenin
Nebuchodonosor ar lannau afon Ewffrates
3 ... Cerflun y duw Zeus yn Olympia a gerfiwyd gan Ffeidias
4 ... Teml y dduwies Diana yn Effesus, er anrhydedd
duwies yr helfa
5 ... Beddrod y brenin Mausolus yn Helicarnasws
6 ... Cerflun pres anferth (Colossus) o Helios,
duw'r Haul, yn Rhodos (Rhodes)
7 ... Goleudy Alexandria a adeiladwyd ar ynys Pharos

SAITH RHYFEDDOD CYMRU

1 ... Pistyll Rhaeadr Gwy
2 ... Twr Eglwys Wrecsam
3 ... Yr Wyddfa
4 ... Coed yw Owrtyn (Overton)

5 ... Ffynhonnau Gwenfrewi
6 ... Pont Llangollen
7 ... Clychau Gresffordd

—— Y Doethion o'r Dwyrain —— a'u Hanrhegion

Balthasar . . . . . . Brenin Ethiopia . . . . Myr

Caspar . . . . . . Brenin Tarsus . . . . . Thus

Melchior . . . . . . Brenin Arabia . . . . . Aur

Canodd Cynan i'r pedwerydd brenin a dalodd
ei berl gwerthfawr er mwyn rhyddhau caethferch.

—— Y Deg Gorchymyn ——

1 . . . . . Na chymer dduwiau eraill

2 . . . . . Na wna iti ddelw

3 . . . . . Na chymer enw'r Arglwydd dy Dduw yn ofer

4 . . . . . Cofia'r dydd Saboth, i'w gadw'n gysegredig

5 . . . . . Anrhydedda dy dad a'th fam

6 . . . . . Na ladd

7 . . . . . Na odineba

8 . . . . . Na ladrata

9 . . . . . Na ddwg gamdystiolaeth yn erbyn dy gymydog

10 . . . . . Na chwennych ddim sy'n eiddo i'th gymydog.

—— Y Cefnforoedd ——

	Yr Hen Drefn
Yr Arctig	Yr Arctig
Cefnfor Iwerydd	Gogledd yr Iwerydd
Y Cefnfor Tawel	De'r Iwerydd
Cefnfor y De	Gogledd y Cefnfor Tawel
Cefnfor India	De'r Cefnfor Tawel
Yr Antarctig	Cefnfor India
	Yr Antarctig

—— Y Cyfandiroedd ——

Awstralia	Yr Antarctig
Affrica	Ewrop
De America	Asia
Gogledd America	

—— CYFNEWID Y TYMHEREDD ——

I newid ° Celsius i ° Fahrenheit lluoswch ag 1.8 ac ychwanegu 32

I newid ° Fahrenheit i ° Celsius tynnwch 32 a rhannu ag 1.8

—— PEN-BLWYDD PRIODAS ——

1af *Papur*	7fed *Gwlân / Copr*	14eg *Ifori*	45ain *Saffir*
2il *Cotwm*	8fed *Efydd*	15fed *Crisial*	50fed *Aur*
3ydd *Lledr*	9fed *Crochenwaith*	20fed *Tsieni*	55ed *Emrallt*
4ydd *Blodau /* *Ffrwythau*	10fed *Alcam (tun)*	25ain *Arian*	60fed *Diemwnt*
5ed *Pren*	11eg *Dur*	30ain *Perl*	70ain *Platinwm*
6ed *Melysion*	12fed *Sidan / Lliain*	35ain *Cwrel*	75ain *Diemwnt*
	13eg *Sider (les)*	40fed *Rhuddem*	

—— CYFNEWID MESURAU ——

YR HEN FESURAU ymerodrol i fetrig		Y MESURAU NEWYDD metrig i ymerodrol	
YMERODROL	lluosi â	lluosi â	**METRIG**
Modfedd ...	2.54 ...	... 0.3937	... centimetr
Troedfedd ...	0.3048 ...	... 3.2808	... metr
Llathen ...	0.9144 ...	... 1.0936	... metr
Milltiroedd ...	1.6093 ...	... 0.6214	... kilometr
Erw ...	0.4047 ...	... 2.471	... hectar
Milltir sgwâr ...	2.5899 ...	... 0.386	... kilometr sgwâr
Peint ...	0.5682 ...	... 1.7598	... litr
Galwyn ...	4.586 ...	... 0.2199	... litr
Pwys ...	0.4536 ...	... 2.2046	... kilogram
Tunnell ...	1.016 ...	... 0.9842	... tunnell fetrig

Felly 12 modfedd = 12 x 2.54 = 30.48 centimetr

100 centimetr = 100 x 0.3937 = 39.37 modfedd

—— LLYFRAU'R BEIBL ——

Yr Hen Destament

Llyfr Genesis
Llyfr Exodus
Llyfr Lefiticus
Llyfr Numeri
Llyfr Deuteronomium
Llyfr Josua
Llyfr y Barnwyr
Llyfr Ruth
Llyfr Cyntaf Samuel
Ail Lyfr Samuel
Llyfr Cyntaf y Brenhinoedd
Ail Lyfr y Brenhinoedd
Llyfr Cyntaf y Cronicl
Ail Lyfr y Cronicl
Llyfr Esra
Llyfr Nehemeia
Llyfr Esther
Llyfr Job
Llyfr y Salmau
Llyfr y Diarhebion
Llyfr y Pregethwyr
Caniad Solomon
Llyfr Eseia
Llyfr Jeremeia
Llyfr Galarnad
Llyfr Eseciel
Llyfr Daniel
Llyfr Hosea
Llyfr Joel
Llyfr Amos
Llyfr Obadeia
Llyfr Jona

Llyfr Micha
Llyfr Nahum
Llyfr Habacuc
Llyfr Seffaneia
Llyfr Haggai
Llyfr Sechareia
Llyfr Malachi

Yr Apocryffa

Llyfr Cyntaf Esdras
Ail Lyfr Esdras
Llyfr Tobit
Llyfr Judith
Yr Ychwanegiadau
at Lyfr Esther
Doethineb Solomon
Ecclesiasticus
Llyfr Baruch
Llythyr Jeremeia
Cân y Tri Llanc
Swsanna
Bel a'r Ddraig
Gweddi Manasse
Llyfr Cyntaf y Macabeaid
Ail Lyfr y Macabeaid

Y Testament Newydd

Yr Efengyl yn ôl Mathew
Yr Efengyl yn ôl Marc
Yr Efengyl yn ôl Luc
Yr Efengyl yn ôl Ioan
Actau'r Apostolion
Llythyr Paul at y Rhufeiniaid

Llythyr Cyntaf Paul at y Corinthiaid
Ail Lythyr Paul at y Corinthiaid
Llythyr Paul at y Galatiaid
Llythyr Paul at yr Effesiaid
Llythyr Paul at y Philipiaid
Llythyr Paul at y Colosiaid
Llythyr Cyntaf Paul at y Thesaloniaid
Ail Lythyr Paul at y Thesaloniaid
Llythyr Cyntaf Paul at Timotheus

Ail Lythyr Paul at Timotheus
Llythyr Paul at Titus
Llythyr Paul at Philemon
Y Llythyr at yr Hebreaid
Llythyr Iago
Llythyr Cyntaf Pedr
Ail Lythyr Pedr
Llythyr Cyntaf Ioan
Ail Lythyr Ioan
Trydydd Llythyr Ioan
Llythyr Jwdas
Datguddiad Ioan

—— LLYN DYFNAF CYMRU ——

Llyn Cowlyd, Dolgarrog, Gwynedd *(67.7 m)*

—— LLWYDDO A DYSGU ——

Yn y diwylliant sydd ohoni, ein harfer yw canmol llwyddiant a chondemnio methiant, gan chwilio (fel arfer) am rywun neu rywbeth i dderbyn y bai am y methiant. Eto, o ran dysgu, mae dyn yn dysgu llawer iawn mwy o'i fethiannau nag yw o'i lwyddiannau – yn arbennig os nad yw'n gwybod paham y llwyddodd.

O fewn system sy'n dysgu, nid 'llwyddo' a 'methu' yw'r meini prawf ond yr hyn sy'n gweithio a'r hyn nad yw'n gweithio, gan ddathlu'r hyn a ddysgir o bethau nad ydynt yn gweithio yn ogystal â'r pethau sy'n gweithio.

Sylfaen system sy'n dysgu yw bod yna nod a gwerthoedd clir y mae pawb yn eu rhannu, a bod pawb yn gweithio i gyrraedd y nod o fewn y gyfundrefn o werthoedd. Os nad yw rhywbeth yn gweithio, gellir symud ymlaen at rywbeth arall o fewn y gyfundrefn o werthoedd yn gyflym heb chwilio am esgusodion na gwarafun methiant.

—— TRAWSNEWIDIADAU ——
TALIESIN

Pan lyncodd Gwion Bach y dafnau hud a fyddai'n rhoi iddo holl
wybodaeth y byd, dafnau a ddistyllwyd gan Ceridwen y wrach ar
gyfer Afagddu, ei mab ei hun, bu raid iddo ddianc rhagddi am ei
fywyd, a dyma'r helfa:

Gwion yn troi'n:	*Ceridwen yn ei hela fel:*
sgwarnog	milast ddu
pysgodyn	dyfrgi
aderyn	gwalches
hedyn mewn pentwr o rawn	iâr fawr ddu

Bwytaodd yr iâr fawr ddu y grawn i gyd ac, o ganlyniad, ymhen
naw mis, ganed y babi bach pertaf a welwyd erioed.

—— ANIFEILIAID A GEIR YN ——
BENNAF YNG NGHYMRU YN UNIG

barcud, bele (parc Eryri), ci defaid Cymreig, cob (poni),
corgi Penfro / Ceredigion, defaid Llanwenog, defaid Llŷn,
ffwlbart (Cors Caron), gwiber ddu (Cors Caron), Gwartheg Duon
Cymreig, gwyniad (Llyn Tegid), merlyn (poni mynydd), torgoch.

—— RHAI CARTREFI ENWOG, ——
AC ENWOGION A ADWAENIR
WRTH ENWAU EU CARTREFI

Aberpergwm: Nedd Uchaf, Morgannwg
Maria Jane Williams (1795–1873), casglydd caneuon gwerin

Berain: Llanefydd, Dinbych
Catrin o Ferain (1534–91) a briododd bedair gwaith a
thrwy hynny bu'n ben ar nifer o deuluoedd bonedd
Gogledd Cymru. Fe'i hadwaenid fel 'mam Cymru'.

Carnabwth: Mynachlog-ddu, Penfro
Thomas Rees (1806?–76), 'Twm Carnabwth', paffiwr y
cysylltir ei enw â Helyntion Beca.

Cefn-brith: Llangamarch, Brycheiniog
John Penry (1563–93), merthyr

Cefn Ydfa
Mae hanes lleol yn Llangynwyd ger Pen-y-bont ar
Ogwr am Ann Thomas, merch i deulu cyfoethog, a'r cariad
gwaharddedig rhyngddi hi a'r bardd Wil Hopcyn. Ef, yn ôl
y traddodiad, a luniodd eiriau'r gân 'Bugeilio'r Gwenith
Gwyn' yn seiliedig ar eu cariad.

Cilie: Aber-porth, Ceredigion
Cartref i genedlaethau o feirdd

Coed-y-pry: Llanuwchllyn, Meirionnydd
Owen M. Edwards (1858–1920), llenor ac addysgydd

Dolwar-fach: Llanfihangel-yng-Ngwynfa, Trefaldwyn
Ann Griffiths (1776–1805), emynyddes

Glan-y-gors: Cerrigydrudion
John Jones (1766–1821), 'Jac Glan-y-gors', bardd dychan

Henllys: Penfro
George Owen (1552–1613), hanesydd

Nyth-brân: Llanwynno, Morgannwg
Griffith Morgan (1700–37), 'Guto Nyth-brân', rhedwr

Pantycelyn: Llanfair-ar-y-bryn, Caerfyrddin
William Williams (1717–91), emynydd

Tai'r Felin: Cwm Tirmynach ger y Bala
Robert Roberts (1870–1951), 'Bob Tai'r Felin', canwr
gwerin

Trefeca: Talgarth, Brycheiniog
Howel Harris (1714–73), un o arweinwyr y Diwygiad
Methodistaidd

Tŷ Mawr Wybrnant, Caernarfon
Yr Esgob William Morgan (1545–1604), cyfieithydd y Beibl

Ty'n-y-fawnog: Cwm Nantcol, Meirionnydd
Siân Owen, testun y llun 'Salem' gan Curnow Vosper

Y Garreg Wen: Ynyscynhaearn, Caernarfon
David Owen (1711–41), 'Dafydd y Garreg Wen', telynor

Y Lasynys: Talsarnau, Meirionnydd
Ellis Wynne (1671–1734), llenor

Yr Ysgwrn: Trawsfynydd, Meirionnydd
Ellis Humphrey Evans (1887–1917), 'Hedd Wyn', bardd

—— LLYNNOEDD (NATURIOL) ——
MWYAF CYMRU

Llyn Tegid (y Bala) *(1.69 milltir sgwâr)*
Llyn Syfaddan (Powys) *(0.58 milltir sgwâr)*

—— TRAWSNEWIDIADAU ——
GILFAETHWY A GWYDION,
FEIBION DÔN

Wedi i Gilfaethwy, gyda chymorth ei frawd Gwydion,
dreisio Goewin, llawforwyn y Brenin Math fab Mathonwy,
fe'u cosbwyd gan Math trwy eu troi yn anifeiliaid
gwryw a benyw am dair blynedd:

1 y flwyddyn gyntaf: Gwydion yn garw a Gilfaethwy yn ewig
a epiliodd ar elain am un flwyddyn;

2 yr ail flwyddyn: Gwydion yn hwch a Gilfaethwy yn faedd
a epiliodd ar fochyn bach;

3 y drydedd flwyddyn: Gwydion yn flaidd, Gilfaethwy yn
fleiddast ac yn geni cenau blaidd. Hyddwn, Hychdwn
Hir a Bleiddwn oedd enwau'r meibion hyn.

(Pedair Cainc y Mabinogi)

—— TRI THLWS AR DDEG ——
YNYS PRYDAIN

*Dyma'r trysorau sy'n ymddangos yn yr hen chwedlau. Fe'u cadwyd ar yr
ynys hud, Ynys Gwydrin. Nid oedd pob rhestr yn hollol gyson, ac o
ganlyniad mae 15 trysor wedi'u casglu ynghyd fan hyn.*

1 Dyrnwyn, cleddyf Rhydderch Hael: cleddyf a fyddai'n fflamio
o'i ddwrn i'w flaen pe bai bonheddwr yn ei dynnu o'i wain.
Cynigid y cleddyf i bwy bynnag a ofynnai am ei fenthyg, ond
oherwydd y gynneddf hon i droi'n fflamau fe'i gwrthodwyd
gan bob un. Oherwydd ei barodrwydd i fenthyg ei gleddyf i
unrhyw un, galwyd perchennog y cleddyf yn Rhydderch Hael.

2 Mwys (basged fwyd) Gwyddno Garanhir: pe rhoddid ynddo ddigon o fwyd i un, ceid bwyd i gant pan agorid ef.

3 Corn (dysgl yfed) Brân Galed: ceir ynddo pa ddiod bynnag a ddymunwch.

4 Car (math o gert) Morgan Mwynfawr: âi â chi i ble bynnag y mynnech, ar unwaith.

5 Cebystr (rheffyn dal ceffyl) Clydno Eiddyn: hoelid ef wrth waelod gwely Clydno, a pha farch bynnag a ddymunai dyn, fe'i câi (yn y cebystr).

6 Cyllell Llawfrodedd Farchog: gwasanaethai ar gyfer pedwar gŵr ar hugain i fwyta wrth fwrdd.

7 Pair (crochan) Dyrnwch Gawr: pe rhoid ynddo gig i'w ferwi ar gyfer gŵr llwfr, ni ferwai fyth; o roi ynddo gig i ŵr dewr berwai ar unwaith.

8 Hogalen (maen hogi) Tudwal Tudglyd: os dyn dewr a hogai ei gleddyf arno, pe bai'n anafu gelyn â'r cleddyf, byddai'i elyn yn marw, ond os llwfryn a hogai ei gleddyf, ni fyddai ei elyn yn dioddef o gwbl.

9 Pais (mantell) Padarn Peisrudd (mantell goch): os gŵr bonheddig a'i gwisgai, byddai'n gweddu i'r dim; os taeog, nid âi amdano.

10 ac **11** Grên (llestr) a dysgl Rhygenydd Ysgolhaig: pa fwyd bynnag a ddymunech, fe'i ceid ynddynt.

12 Gwyddbwyll Gwenddolau ap Ceidio, â chlawr o aur a gwerin o arian: o osod y darnau yn eu lle, byddent yn chwarae eu hunain.

13 Llen (mantell) Arthur yng Nghernyw: o'i gwisgo, ni welai neb ef, ond ef a welai bawb.

14 Mantell Tegau Eurfron: byddai'n cyrraedd y llawr pe'i gwisgid gan wraig ffyddlon, ond dim ond at ganol gwraig anffyddlon.

15 Maen a Modrwy Eluned: pe cuddid y maen, ni welai neb yr un a'i cuddiai.

—— MYNYDDOEDD UCHAF CYMRU ——

Yr Wyddfa (1,085 m)	*Y Garn (946 m)*
Crib y Ddysgl (1,065 m)	*Foel Fras (942 m)*
Carnedd Llywelyn (1,062 m)	*Carnedd Uchaf (926 m)*
Carnedd Ddafydd (1,044 m)	*Elidir Fawr (923 m)*
Glyder Fawr (999 m)	*Crib Goch (921 m)*
Glyder Fach (994 m)	*Tryfan (917 m)*
Pen yr Ole Wen (978 m)	
Foel Grach (976 m)	Yn Ne Cymru *Pen y Fan*
Yr Elan (961 m)	*(886 m)* yw'r mynydd uchaf.

—— ANIFEILIAID HYNOTAF —— CYMRU

Adar Llwch Gwin ~ Adar hud a allai ladd dynion (*griffins*).

Adar Rhiannon ~ Pan ganent, diflannai pob gofid a hiraeth, a safai amser yn ei unfan.

Afanc ~ Anifail chwedlonol tebyg i lostlydan anferthol.

Yr Anifail Hynaf yn y Byd ~ Un o dasgau'r marchogion yn chwedl *Culhwch ac Olwen* oedd dod o hyd i'r anifail hynaf yn y byd. Aethant yn gyntaf at

    Fwyalchen Cilgwri, a'u hanfonodd at

    Garw Rhedynfre, a'u hanfonodd at

    Dylluan Cwm Cawlwyd, a'u hanfonodd at

    Eryr Gwernabwy, a'u hanfonodd at

    Eog Llyn Llyw – yr anifail hynaf yn y byd.

Cath Palug ~ Cawres o gath â chrafangau miniog a oedd yn medru nofio.

Cŵn Annwn/Cŵn Bendith y Mamau ~ Cŵn bach llwytgoch a oedd yn rhybudd bod rhywun yn mynd i farw.

Y Ddraig Goch ~ Symbol herodrol Cymru.

Gwiber ~ Math o ddraig fawr.

Y Twrch Trwyth ~ Y baedd anferth y bu raid i Gulhwch ei hela yn *Culhwch ac Olwen*.

Ychen Bannog (â chyrn hir) ~ Anifeiliaid Hu Gadarn a ddefnyddiwyd i lusgo'r Afanc i Lyn Cwm Ffynnon Las.

—— COELION Y CYMRY ——

Aderyn corff	Aderyn megis tylluan neu robin yn pigo ffenestr – arwydd yn rhagfynegi marwolaeth
Annwn/Annwfn	Yr Arallfyd Celtaidd
Y Baich Drain	Cario'r baich yma oedd y gosb am hela ar y Sul
Cannwyll Gorff	Goleuni yn dechrau yn y tŷ lle y bydd rhywun yn marw yn fuan, ac yn teithio ar hyd ffordd y cynhebrwng
Cŵn Annwn	Cŵn bychain llwytgoch yn rhagfynegi marwolaeth
Cyhyraeth	Sŵn cwynfanllyd yn rhagfynegi marwolaeth
Y Dyn Hysbys	Swynwr a oedd yn medru rheibio a gwella dynion ac anifeiliaid
Eryr(od) Eryri	Hedfan yn isel, darogan rhyfel; yn uchel, buddugoliaeth; symbol *Byddin Cymru Rydd*
Gwrach y Rhibyn	Drychiolaeth a ragfynegai farwolaeth
Hwch Ddu Gwta	Ysbryd a ymddangosai ar nos Galan Gaeaf
Y Ladi Wen	Ysbryd a ymddangosai ar nos Galan Gaeaf
Tanwedd	Rhimyn o dân a welir yn y nos yn rhagfynegi marwolaeth
Toili	Cynhebrwng lledrithiol yn cychwyn yng nghartref yr un y rhagfynegir ei farwolaeth

—— AFONYDD HWYAF CYMRU ——

Afonydd Cymru yn unig:

Wysg (137 km)
Teifi (117 km)
Tywi (110 km)
Taf (66.7 km)
Clwyd (63.9 km)
Dyfi (60 km)
Ithon (60 km)
Alyn (58 km)

Rhymni (58 km)
Conwy (57 km)

Afonydd y mae rhan ohonynt yn llifo drwy Loegr hefyd:

Hafren (354 km)
Gwy (209 km)
Dyfrdwy (179 km)

—— Anoethau Culhwch ——

Yn yr hen chwedl *Culhwch ac Olwen* yr oedd yn rhaid i
Gulhwch gyflawni nifer o anoethau (tasgau amhosibl)
cyn ennill Olwen yn wraig iddo.

Er mwyn cael bwyd a diod i'r wledd briodas byddai'n rhaid:

1.....codi gallt goediog o'i gwraidd a'i llosgi nes bod ei lludw
yn wrtaith i'r tir

2.....aredig y tir, hau had a medi'r grawn o fewn un diwrnod
i gael bwyd ar gyfer y wledd

3.....cael Amaethon fab Dôn i amaethu

4.....cael Gofannon fab Dôn i gyweirio'r haearn

5.....cael y cynhaeaf i fod yn aeddfed erbyn y bore pan fydd
hi'n amser i'r gwlith godi

6.....cael dau ychen Gwlwlydd Winau i aredig y tir

7.....bod y Melyn Gwanwyn a'r Ych Brych dan yr un iau

8.....hefyd y ddau ychen bannog Nyniaw a Peibiaw

Er mwyn cael penwisg i Olwen roedd rhaid:

9.....casglu'r naw llestr o had llin a heuwyd gan Ysbaddaden
Bencawr ond na thyfodd, ac ailblannu'r had yn y tir
newydd a'r llin yn cael ei hel i wneud y benwisg

Am weddill y bwyd a'r ddiod rhaid wrth:

10...fêl naw gwaith melysach nag unrhyw fêl arall i wneud diod

11...Cwpan Llwyr fab Llwyrion i ddal y ddiod

12...Basged Fwyd Gwyddno Garanhir i roi'r bwyd a fynnai pawb

13...Corn Gwlgawd Gododdin i arllwys y ddiod

14...Telyn Teirtu sy'n canu ohoni'i hun i ddiddanu'r gwesteion

15...Adar Rhiannon a'u canu lledrithiol

16...Pair Diwrnach Wyddel i ferwi'r bwyd

Er mwyn eillio barf a thorri gwallt Ysbaddaden Bencawr roedd rhaid:

17...Tynnu ysgithr (cilddant) Ysgithrwyn y Pen Baedd i eillio'r farf

18...ac Odgar fab Aedd oedd yr unig un a allai dynnu'r ysgithr

19...(a rhaid cael) Caw y Pictiad i ofalu am yr ysgithr tan y briodas

20...(a rhaid wrth) waed y Widdon Orddu i feddalu barf
Ysbaddaden cyn ei heillio ar gyfer y briodas

21...a dim ond poteli Gwyddolwyn Gorrach a fyddai'n gallu
cadw'r gwaed yn gynnes

22...(a rhaid wrth) boteli Rhynnon Rhyn Barfawd i gadw
llefrith i bawb

23...a rhaid oedd cael y Crib, y Sisiwrn a'r Rasal sydd rhwng
dwy glust y Twrch Trwyth i drin gwallt Ysbaddaden

Er mwyn hela'r Twrch Trwyth rhaid wrth:

24...Drudwyn ci hela Greid fab Eri

25...a Thennyn Cors Cant Ewin i ddal y ci

26...a Thorch Canhastyr Canllaw yn goler i'r ci

27...a Chadwyn Cilydd Canhastyr oedd yr unig beth digon cryf
i fedru clymu'r coler a'r tennyn ynghyd

28...a Mabon fab Modron oedd yr unig heliwr a oedd yn gallu
trin Drudwyn y ci hela

29...a rhaid oedd cael Gwyn Myngdwn ceffyl Menw yn farch
i Fabon

30...a rhaid cael Eidoel fab Aer i chwilio am Fabon

31...a Garselit Wyddel prif heliwr cŵn Iwerddon

32...a dau genau gast Rhymni

33...a dim ond blew o farf Dillus Farfog a fyddai'n ddigon cryf
i ddal dau genau gast Rhymni

34...Cyledyr Wyllt yw'r unig un sy'n gallu dal y ddwy ast

35...a Gwyn ap Nudd brenin Annwfn na fyddai'n dod heb ...

36...Ddu march Moro Oerfeddawg

37...a rhaid wrth helwyr Gwilennin, brenin Ffrainc

38...a Mab Alun Dyfed i ollwng y cŵn

39...a'r cŵn Aned ac Aethlem i hela'r Twrch Trwyth

40...a rhaid oedd cael Helwyr y Brenin Arthur

41...tarianau, gwaywffyn, cleddyfau, cŵn, ceffylau, gwragedd,
merched a morynion Bwlch a Chyfwlch a Syfwlch, pobl
fwyaf swnllyd y byd.

42...a dim ond â Chleddyf Wrnach Gawr y byddai modd lladd
y Twrch Trwyth, ac ni fyddai'n barod i fenthyg hwnnw i neb.

—— MANNAU Y MAE'N RHAID ——
YMWELD Â NHW CYN MARW

Aberdaron .... **Llŷn**
. . . creigiau Aberdaron
a thonnau gwyllt y môr

Cynan

Cilmeri .... **Powys**
Fin nos, fan hyn
Lladdwyd Llywelyn

Gerallt Lloyd Owen

Cwm Pennant .. **Gwynedd**
Mae ef a'i lechweddi'n myned
O hyd yn fwy annwyl im

Eifion Wyn

Cwmyreglwys .... **Penfro**
Na phlygain, ond plygain y llanw,
Na gosber, ond gosber y trai

Aneurin Jenkins Jones

Dinbych
(Dinbych-y-pysgod)
.... **Penfro**
Addwyn gaer y sydd
ar glawr y gweilgi

O'r 7fed ganrif

Eryri .... **Gwynedd**
Ni welir arno lun
na chynllun chwaith
Dim ond amlinell lom
y moelni maith

T. H. Parry-Williams

Y Lôn Goed .... **Eifionydd**
Draw o ymryson ynfyd
Chwerw'r newyddfyd blin,
Mae yno flas y cynfyd
Yn aros fel hen win

R. Williams Parry

Llanfair-yng-Nghornwy
.... **Ynys Môn**
mai peth pentrefol, plwyfol fel hyn
yw gwyrth

Derec Llwyd Morgan

Llanfihangel Bachellaeth
.... **Llŷn**
Yn Llanfihangel Bachellaeth
Mae'r lle tawela 'ngwlad Llŷn

Cynan

Llanfihangel Genau'r-glyn
.... **Ceredigion**
Rhyw rin oedd yn y gair a'r gwynt
A'm dug yn ôl i'r dyddiau gynt

J. J. Williams

Llyn Eiddwen .. **Ceredigion**
uwch llonyddwch Llyn Eiddwen

E. Prosser Rhys

Melin Tre-fin .... **Penfro**
Dilythyren garreg goffa
O'r amseroedd difyr gynt

Crwys

Oerddwr .... **Gwynedd**
Wrth lunio'r byd, fe ddryswyd
peth ar y plan, -
Mae nodau annaearoldeb
yn naear y fan.

T. H. Parry-Williams

Penmon .... **Ynys Môn**
Onid hoff yw cofio'n taith
Mewn hoen i Benmon, unwaith

T. Gwynn Jones

Porth yr Aber
(Aber-porth) .. Ceredigion
*Ar Ddydd Iau Mawr mae
pawb yn tyrru
I Borth yr Aber wrth yr heli*

Dic Jones

Preseli .... Penfro
*Fy Nghymru, a bro brawdoliaeth,
fy nghri, fy nghrefydd,
Unig falm i fyd*

Waldo Williams

Pwll Deri .... Penfro
*Ma' meddwl amdano'r finid hon
Yn hala rhyw isgrid trwy fy mron*

Dewi Emrys

Rhos y Pererinion
*Ba le y cawn i noddfa dlos? –
Yn Rhos y Pererinion*

T. Gwynn Jones

Teifi
*Toc Rhaeadr Cenarth sy'n
daran drwy'r fro,
Ond rhowch i mi Deifi
Llandysul bob tro*

Cynan

Traeth y Pigyn
.... Ceredigion
*Mae'n braf ar Draeth y Pigyn
Lle mae'r môr yn bwrw'i ewyn*

T. Llew Jones

Trawsfynydd ... Gwynedd
*Tyner yw'r lleuad heno –
tros fawnog
Trawsfynydd yn dringo*

R. Williams Parry

Ynys Enlli .... Gwynedd
*Ac nid oes dim a gyffry hedd
Y bedd yn Ynys Enlli*

T. Gwynn Jones

Ystrad-fflur ... Ceredigion
*Pan rodiwyf ddaear Ystrad-fflur
O'm dolur ymdawelaf*

T. Gwynn Jones

—— Y TWYN ——
UCHAF YM
MHRYDAIN
Twyni Merthyr Mawr
(61 m)

—— ARGAEAU MWYAF CYMRU ——

Brenig	•	Brianne
Claerwen	•	Clywedog
Caban Coch	•	Celyn
Llandegfedd	• Llanwddyn	
	Ponsticill	

—— YR OGOF DDYFNAF ——
YM MHRYDAIN
Ogof Ffynnon Ddu (308 m) (Powys)

—— LLEFYDD DIFANCOLL ——
(NAD YDYNT YN BOD RHAGOR)

Abercuawg
>Yn Aber Cuawg cogau a ganant   Canu Llywarch Hen

Argoed
>Pan fud wrandawer di-air leferydd
>Y don o hiraeth yn d'enw a erys
>Argoed, Argoed y mannau dirgel   T. Gwynn Jones

Cantre'r Gwaelod
>O dan y môr a'i donnau
>Mae llawer dinas dlos   J. J. Williams

Coed Glyn Cynon
>Aberdâr, Llanwynno i gyd,
>Plwy' Merthyr hyd Lanfabon,
>. . . Mor araul yw Glyn Cynon   Anhysbys 16eg ganrif

Cwm Tawelwch
>Rwy'n chwilio am y Cwm
>Tu draw i'r cymoedd, . . .
>Roedd mwy o flas ar fyw,
>A deufwy gwyrddach oedd y dail
>Pan oedd y ddaear yn ieuengach   Gwilym R. Jones

Cwm Tryweryn
>Mae argae ar draws Cwm Tryweryn
>Yn gofgolofn i'n llwfrdra ni   Dafydd Iwan

Gwernyclepa (Llys Ifor Hael)
>Y llwybrau gynt lle bu'r gân
>Yw lleoedd y dylluan   Ieuan Brydydd Hir

Llys Aberffraw
>Llyma dir lle mae dewrion –
>A llyma fedd mawredd Môn!   Trefîn

Llys Helig
>teyrnas Helig ap Glannog o dan y môr ym Mae Conwy

Parc yr Arfau
>Daear hud yw'r erw hon
>Cartre cewri'r tair coron   Dic Jones

Plas Ffynnon Bedr
> *Troir ei chain lydain aelwydau —'n erddi*
> *A gwyrddion weirgloddiau;*
> *A mynych yr ych o'r iau*
> *Bawr lawr ei gwych barlyrau*   David Davis

Rhos Helyg
> *Lle bu gardd, lle bu harddwch*
> *Gwelaf lain â'i drain yn drwch*   B. T. Hopkins

Rhydcymerau
> *Coed lle bu cymdogaeth*
> *Fforest lle bu ffermydd*   Gwenallt

Sycharth (Llys Owain Glyndŵr)
> *Na gwall, na newyn, na gwarth,*
> *Na syched fyth yn Sycharth*   Iolo Goch

Y Dref Wen
> *Y dref wen ym mron y coed*   Canu Llywarch Hen

—— TRENAU BYCHAIN ——
(NIFER Y GORSAFOEDD/SAFLEOEDD)

Cwm Rheidol . . . . (8)

Dyffryn Teifi . . . . (3)

Ffestiniog . . . . (12)

Llyn Padarn, Llanberis . . . . (2)

Llyn Tegid . . . . (6)

Mynydd Aberhonddu . . . . (2)

Tal-y-llyn . . . . (12)

Ucheldir . . . . (2)

Y Friog (Fairbourne) . . . . 3)

Y Gogarth (Llandudno) . . . . (3)

Yr Wyddfa . . . . (5)

Y Trallwng a Llanfair . . . . (6)

Trenau Mwy eu Maint:
Gwili . . . . (2)

Llangollen . . . . (4)

—— LLEFYDD Y DYCHYMYG ——

Y Canol Llonydd Distaw
> Gwawriodd arnaf i o'r diwedd un o wersi Tao Chi Ching
> Mai gwacter, llonydd, heddwch a distawrwydd sydd wrth wraidd pob dim
>> Steve Eaves

Teyrnas diniweidrwydd
> Yn nheyrnas diniweidrwydd
> Mae'r sêr yn fythol syn;
> Mae miwsig yn yr awel,
> A bro tu hwnt i'r bryn.
>> Rhydwen Williams

Tir na n-Og
> Dolau, glynnoedd, deiliog lwyni,
> Heulwen haf i'th lawenhau;
> Mawl y delyn, mal y diliau,
> Gleiniau fil, a'r galon fau.
>> T. Gwynn Jones

mal y diliau = fel y mêl; a'r galon fau = a'm calon i.

Ynys Afallon
> Draw dros y don mae bro dirion nad ery
>> Cwyn yn ei thir
>>> T. Gwynn Jones

> O mae ieir bach yr ha'
> A'r blodau yn bla
> A chwrw yw dŵr pob afon
>> Dafydd Iwan

—— RHAI O FRENHINOEDD —— CYNHARAF CYMRU

Macsen Wledig	383
Gwrthefyr (Dyfed)	400
Cunedda (Gwynedd)	tua 440
Gwrtheyrn (Powys)	tua 450
Caradog Freichfras (Gwent)	500
Maelgwn Gwynedd	tua 540
Meurig ap Tewdrig (Glywysing)	600
Cadfan Gwynedd	600

—— NODWEDDION ——
GWAHANOL BRENNAU

Castanwydden tebyg iawn i dderwen, ond yn gallu cracio wrth sychu

Celynnen pren caled iawn

Derwen cryfder a chaledwch ond hefyd harddwch yn ddelfrydol ar gyfer dodrefn

Draenen ddu y gorau i lunio pastwn ohono, mae mor galed â derwen neu gelynnen ond yn bren ysgafnach

Ffawydden pren caled iawn ond un y mae pryfed yn hoff ohono

Gwernen ysgafn a chaled; gwneid clocs a choesau pladur ohono

Helygen gwydn, ysgafn, a haws ei naddu nag onnen

Lartsen yn para'n well na derwen allan yn y tywydd

Llwyfen pren addas ar gyfer bothau olwynion

Masarnen pren gwyn heb na blas nac arogl; yn ddelfrydol ar gyfer mannau trin bwyd, a phren y gwneid y trensiwr (plât bwyd o bren) a'r llwy-bren ar gyfer uwd a chawl ohono

Onnen gwytnwch a hyblygrwydd ac ysgafnder; yn addas ar gyfer dodrefn

Pinwydden byg pren a ddefnyddir y tu mewn i gapeli

Pinwydden Douglas tebyg i binwydden yr Alban ond â thuedd i hollti wrth ei hoelio

Pinwydden yr Alban pinwydden dda ar gyfer drysau a ffenestri

Sbriwsen pren meddal, ysgafn y mae sudd tew gludiog yn tueddu i redeg ohono; fe'i defnyddir yn helaeth ar gyfer drysau.

(Calon Gron a Thraed Cathod)

—— BYW'N IACH ——

- Genau oer a thraed gwresog a fydd byw yn hir.
- Bara heddiw, cig ddoe a chwrw'r llynedd.
- Yf ddŵr fel ych a gwin fel brenin.
- Caws defaid, llaeth geifr, ymenyn gwartheg sydd orau.
- Chwerw yng ngenau, melys yng nghylla.
- Bola llawn sy'n hollti, nid bola gwag.
- Dylid gadael lle i fynsen geiniog wrth godi o'r ford
(h.y. paid bwyta gormod).

Yr iach a gach y bore,
Yr afiach a gach yr hwyr,
Yr afiach a gach ond ychydig bach
Yr iach a gach yn llwyr.

Cinio ysgafn
Swper llai
Cynnar i'r gwely
A hir oes.

Diod o ddŵr – pwyll
Diod o laeth – iechyd
Diod o fedd – llawenydd
Diod o win – gwallgof

—— BADAU ACHUB ——

(yn dilyn yr arfordir gan ddechrau yn y gogledd-ddwyrain)

Y Fflint – y Rhyl – Llandudno – Conwy – Biwmares – Moelfre – Caergybi – Bae Trearddur – Porth Dinllaen – Aber-soch – Pwllheli – Cricieth – y Bermo – Aberdyfi – y Borth – Aberystwyth – Cei Newydd – Aberteifi – Abergwaun – Tyddewi – Aberllydan (Broadhaven) – Angle – Dinbych-y-pysgod – Porth Tywyn (Burry Port) – Port Einon – y Mwmbwls – Port Talbot – Porth-cawl – Sain Dunwyd (Coleg Iwerydd) – Porthladd y Barri – Penarth

—— PARCIAU CENEDLAETHOL ——
CYMRU

Arfordir Penfro (225 milltir sgwâr)
Bannau Brycheiniog (519 milltir sgwâr)
Eryri (838 milltir sgwâr)

—— Y RHAEADR UCHAF ——
YN LLOEGR A CHYMRU

Pistyll Rhaeadr, Llanrhaeadr-ym-Mochnant (73 m)

—— CANOLFANNAU GWYLWYR ——
Y GLANNAU

Caergybi, Dale (Hwlffordd), y Mwmbwls (Abertawe)

—— Y NAWFED ACH ——

Carennydd yw'r enw ar y cylch o berthnasau, hyd y nawfed
ach, a oedd mor bwysig o dan gyfreithiau Cymreig Hywel Dda
(ac sydd, mae'n debyg, wrth wraidd ein chwilfrydedd fel Cymry
i wybod 'i bwy rydych chi'n perthyn?')

1... tad a mam
2... hendad
3... gorhendad
4... brawd – chwaer
5... cefnder – cyfnither
6... cyfyrder – cyfyrderes (2^{il} gefnder/gyfnither)
7... caifn (3^{ydd} cefnder)
8... gorchaifn (4^{ydd} cefnder)
9... gorchaw (5^{ed} cefnder)

Hen enwau eraill ar aelodau'r teulu yw:

chwegr	..... mam-yng-nghyfraith
chwegrwn	..... tad-yng-nghyfraith
daw	..... mab-yng-nghyfraith
gwaudd	..... merch-yng-nghyfraith

—— Cyfrinachau ——
Gorsedd Beirdd Ynys Prydain

1. Y Pedair Cadair Rhannwyd Cymru yn bedair cadair neu
dalaith farddol: Cadair Gwynedd, Cadair Powys, Cadair
Dyfed, Cadair Morgannwg a Gwent

2. Barddas Barddas oedd y ddysg gyfrinachol a drosglwyddwyd
o genhedlaeth i genhedlaeth o feirdd yn ddi-dor o gyfnod
y derwyddon

3. Alban Hefin Ar Alban Hefin (21 Mehefin) 1792 cynhaliwyd
yr orsedd gyntaf a cyhoeddwyd flwyddyn a diwrnod
ynghynt gan Iolo Morganwg ar Fryn y Briallu, Llundain

4. Ysnoden y rhuban glas a gyflwynid i fardd a thelynor
buddugol mewn eisteddfod beirdd;
rhuban gwyn i dderwyddon
rhuban glas i feirdd a cherddorion
rhuban gwyrdd i ofyddion (darpar feirdd)

5. Baner yr Orsedd a cyflwynwyd i'r Orsedd yn 1896 gydag
arwyddeiriau a symbolau derwyddol ar gefndir glas

6. Urddwisgoedd yr Orsedd Yn dilyn Eisteddfod Llangollen
1856, pan ddaeth Myfyr Morganwg mewn gwisg
archdderwyddol yn cynnwys y Corwgl Gwydrin (*mystic
egg*) yn hongian wrth ei wddf, Dr William Price mewn
gwisg hela werdd a phenwisg croen llwynog, a Pym ap
Ednyfed mewn gwisg liw'r enfys – sefydlogwyd y wisg
a'r regalia fel a ganlyn:

> Gwisg werdd Ofydd *yn dynodi twf a cynnydd mewn dysg*
> Gwisg las Beirdd a Cherddorion *yn dynodi heddwch a
> llonyddwch*
> Gwisg wen Derwydd *yn dynodi gwirionedd difrycheulyd*

7. Dwyfronneg yr Archdderwydd Cynlluniwyd y rhan fwyaf
o'r regalia gan yr Athro Hubert Herkomer ar ddiwedd

y 19eg ganrif, gan gynnwys y ddwyfronneg ar batrwm
yr hyn y tybid ei bod yn wisg dderwyddol

8. *Coron yr Archdderwydd* yn seiliedig ar dorch o ddail
y dderwen, coeden gysesgredig y derwyddon

9. *Cleddyf Mawr yr Orsedd* Cynlluniwyd hwn eto gan yr
Athro Hubert Herkomer, gydag arwyddion derwyddol.
Yr oedd cleddyf nad oedd i'w dynnu o'i wain, fel
arwydd o heddwch, yn rhan o orsedd gyntaf Iolo
Morganwg yn Llundain

10. *Y Corn Hirlas* corn yfed a gynlluniwyd gan Syr William
Goscombe John

11. *Y Corn Gwlad* dau drwmped a ddefnyddiwyd adeg
coroni'r Frenhines Elizabeth II, 1953

12. *Cleddyf Deuddarn* cleddyf wedi'i hollti yn ei hanner,
gydag un hanner yn Llydaw a'r llall yng Nghymru, yn
seiliedig ar y gred na chodai na Llydäwr na Chymro
gleddyf yn erbyn ei gilydd

13. *Maen Llog* allor dderwyddol yng nghanol y cylch meini
derwyddol, lle y bydd yr Archdderwydd yn traddodi â
holl awdurdod yr Orsedd

14. *Y Nod Cyfrin* enw cyfriniol Duw, llygad goleuni: /|\

15. *Coelbren y Beirdd* yr wyddor a ddyfeisiwyd gan Iolo
Morganwg (gwelir y llun ar dudalen 73)

16. *Peithynen* fframyn o bren i ddal *Coelbren y Beirdd*

17. *Corwgl Gwydrin* Mae yna adegau pan fydd nadredd yn
casglu ynghyd, ac yn ystod yr ymgordeddu sy'n digwydd,
cynhyrchir rhyw fath o ewyn sy'n caledu fel gwydr. Mae'n
debyg i lain neu, os yw'n fwy ei faint, i wy crisial. Credid
gynt fod gan y meini prin yma allu i wella anhwylderau.
Oherwydd y cysylltiad agos a oedd fe dybid rhwng y
Derwyddon a nadredd, cyfeiria'r Dr William Price a Myfyr
Morganwg ato fel Corwgl Gwydrin neu *mystic egg* – 'a
badge of honour of the Arch-druid'. (*Cynnwrf Canrif*)

—— DUWIAU CELTAIDD ——

Plant y dduwies Dôn – y rhai ag enwau Cymraeg oedd:
Amaethon, Arianrhod, Gilfaethwy, Gofannon, Gwydion,
Mabon fab Modron, Rhiannon, Teyrnon (enwir hefyd Elan,
Gwenan a Maelan yn chwiorydd i Arianrhod).
Plant eraill a fu'n dduwiau i'r Brythoniaid:
Cernunnos (duw corniog), Deiotarus (duw darw),
Epona (duw geffyl), Moccus (duw faedd).

—— LLYSENWAU, ENWAU BARDDOL, —— FFUGENWAU AC ATI

Alun
(John Blackwell)   *bardd*

Alun Cilie
(Alun Jeremiah Jones)
                un o deulu o feirdd

Apostol Heddwch
(Henry Richard)   *gwleidydd*

Y Bardd Cocos
(John Evans) *bardd talcen slip*

Bardd y Brenin
(Edward Jones)   *telynor*

Barti Ddu
(Bartholomew Roberts)
                        môr-leidr

Beca   *arweinydd terfysgwyr*

Betsi Cadwaladr
(Elizabeth Davies)   *nyrs*

Bob Tai'r Felin
(Robert Roberts) *canwr gwerin*

Ceiriog
(John Ceiriog Hughes) *bardd*

Coch Bach y Bala
(John Jones)   *lleidr*

Cranogwen
(Sarah Jane Rees)
        arweinydd mudiad dirwest

Crwys
(William Williams)   *bardd*

Cynan
(Albert Evans-Jones)   *bardd*

Dafydd Ddu Feddyg
(David Samwell)   *meddyg*

Dafydd y Garreg Wen
(Dafydd Owen)   *telynor*

Daniel ap Llosgwrn Mew
                        bardd

Y Deryn Mawr
(Gruffydd Jones)
        adroddwr straeon celwydd golau

Dewi Emrys
(David Emrys James)   *bardd*

Dic Aberdaron
(Richard Robert Jones)
                        ieithydd

Dic Penderyn
(Richard Lewis)   *merthyr*

Y Doctor Coch
(Elis Prys) *siryf*

Eirwyn Pont-shan
(Eirwyn Jones)
adroddwr straeon digri

Elfed
(Howell Elvet Lewis) *emynydd*

Emrys ap Iwan
(Robert Ambrose Jones)
llenor

Guto Nyth-brân
(Griffith Morgan) *rhedwr*

Gwallter Mechain
(Walter Davies) *bardd*

Gwenallt
(David James Jones) *bardd*

Gwenynen Gwent
(Augusta Waddington Hall)
noddwraig diwylliant

Gwilym Hiraethog
(William Rees) *llenor*

Hedd Wyn
(Ellis Humphrey Evans)
bardd

Hwfa Môn
(Rowland Williams) *bardd*

Ieuan Brydydd Hir
(Evan Evans) *bardd*

Ifor Bach *ymladdwr*

Ifor Hael
(Ifor ap Llywelyn)
noddwr beirdd

Iolo Morganwg
(Edward Williams)
sylfaenydd Gorsedd Beirdd
Ynys Prydain

Isfoel
(Dafydd Jones) *bardd*

Islwyn
(William Thomas) *bardd*

Jac Glan-y-Gors
(John Jones) *bardd dychanol*

Li Ti Mo Tai
(Timothy Richard)
enw Tsieineaidd y cenhadwr

Llwyd o'r Bryn
(Robert Lloyd) *gŵr 'y Pethe'*

Mabon
(William Abraham)
arweinydd y glowyr

Meuryn
(Robert John Rowlands)
beirniad Ymryson y Beirdd

Moelona
(Elizabeth Mary Jones)
awdures

Morien
(Owen Morgan)
gohebydd papur newydd

Pencerdd Gwalia
(John Thomas) *telynor*

Sarnicol
(Thomas Jacob Thomas)
bardd

Seisyll Bryffwrch *bardd*

Sioni Winwns
enw generig ar werthwr
winwns o Lydaw

Talhaiarn
(John Jones) *bardd*

Twm o'r Nant
(Thomas Edwards)
awdur anterliwtiau

Twm Siôn Cati
(Thomas Jones)
cymeriad brith

—— ARWYDDION TYWYDD ——

Awyr draeth (cymylau fel traeth wedi'r trai)
Glaw drannoeth

~

Awyr goch y bora, brithion gawoda;
Awyr goch y prynhawn, tegwch a gawn.

~

O farrug i wynt, o wynt i law

~

Broga llwyd – glaw
Broga melyn – tywydd teg

~

Y fuwch goch gota
P'un ai glaw ai hindda?
Os taw glaw, cwymp o'm llaw
Os taw teg, hedfana.

~

Bwa Drindod y bora, aml gawoda,
Bwa Drindod y prynhawn, tegwch a gawn.

~

Cath yn troi ei thin at y tân – arwydd o eira

~

Ci yn ceisio dal ei gynffon – arwydd o wynt cryf

~

Eira mân (plu mân), eira mawr (trwch o eira)
Eira bras, eira bach

~

Gwenoliaid yn hedfan yn isel fin nos – glaw
Gwenoliaid yn hedfan yn uchel – tywydd teg

~

Gwylan i'r tir
Glaw cyn bo hir

~

Yr wylan fach adnebydd
Pan fo'n gyfnewid tywydd;
Hi hed yn deg ar adain wen
O'r môr i ben y mynydd.

~

Cylch yn agos at y lleuad, glaw ymhell,
Cylch ymhell o'r lleuad, glaw yn agos

~

Pyst dan yr haul – arwydd o law

~

Lleuad y medrwch chi hongian eich het arni
– arwydd tywydd sych

~

Niwl o'r mynydd, gwres ar gynnydd;
Daw niwl o'r môr â glaw yn stôr

~

Niwl y gaea, arwydd eira;
Niwl y gwanwyn, gwaeth na gwenwyn

~

Gwynt traed y meirw – gwynt o'r dwyrain

~

Twll y glaw – y de

—— Y NAW HELWRIAETH ——

Yn ôl Cyfraith Hywel Dda rheolid pob agwedd o hela. Dyma'r
anifeiliaid a'r ffordd y caent eu hela:

Helfa gyffredin (lle y gallai unrhyw un a oedd yn bresennol
hawlio cyfran o'r helfa, cyn i'r heliwr ei hawlio iddo'i hun)

1......Carw

2......Haid o wenyn

3......Gleisiad (eog)

Helfa gyfarthfa (lle byddai'r helgwn yn cadw'r anifail nes bod yr
helwyr yn cyrraedd ac yn ei ladd)

4......Arth

5......Dringhedydd (anifail sy'n

dringo i ben coeden, e.e. gwiwer)

6......Ceiliog coed (ceiliog ffesant)

Helfa ddolef (lle byddai'r anifail yn cael ei hela nes iddo ddiffygio)

7......Llwynog

8......Ysgyfarnog

9......Iwrch

—— BREUDDWYD ——

Yr Athro Swffi a glywodd lais mewn breuddwyd yn dweud
wrtho na ddylid credu dim a glywir gan lais mewn breuddwyd.

—— Y TYLWYTH TEG ——

BENDITH Y MAMAU
yn adlewyrchu'r ffaith mai caredig, ar y cyfan, yw'r
Tylwyth Teg Cymreig

COBLYNNOD NEU GNOCWYR
arweinient fwyngloddwyr at y mwyn

CORANIAID
y pla o bobl fychain y sonnir amdanynt yn chwedl
Cyfranc Lludd a Llefelys

CRIMBIL
yr un elfen gas a berthynai i'r Tylwyth Teg oedd y
perygl y byddent yn dwyn babi bach heb ei
fedyddio ac yn gadael un o'u hepil trafferthus yn ei
le – crimbil neu crafaglach oedd yr enw ar y rhain

GWYLLION
ysbrydion mynyddig

MÔR-FORYNION
merched-bysgod yn byw yn y môr

PLANT ANNWFN
Annwfn yw'r Arallfyd Celtaidd y mae Gwyn ap
Nudd yn frenin arno

PLANT RHYS DDWFN
yr oedd cred fod Annwfn yn wlad o dan y dŵr

TYLWYTH GWYN AP NUDD
Gwyn ap Nudd yw brenin y Tylwyth Teg

ENWAU RHAI TYLWYTHESAU UNIGOL
Sili-go-dwt, Sili-ffrit, Jili Ffrwtan, Trwtyn Tratyn,
Gwarwyn a Throt

Penelope, Bela, Sibi a Belene oedd enwau rhai o'r
Tylwythesau Teg a briodwyd gan feibion dynion

—— Y PEDAIR CAMP AR HUGAIN ——

Campau yr oedd disgwyl i ŵr bonheddig y Canol Oesoedd eu meistroli.

Y GWROLGAMPAU

Yr oedd deg gwrolgamp a rannwyd fel a ganlyn:

1	Cryfder	2	Marchogaeth

Y Tadogion Gampau (nad oedd angen grym arfau)

3	Rhedeg	4	Neidio
5	Nofio	6	Ymafael (ymaflyd codwm)

*Y Gwrolgampau o rym arfau (a ofynnai am feistrolaeth
ar arfau arbennig)*

7 Saethu

8 Chwarae cleddau a bwcled (tarian gron)

9 Chwarae cleddau deuddwrn (cleddyf yr oedd yn rhaid
wrth y ddwy law i'w ddal)

10 Chwarae ffon ddwybig *(quarterstaff)*

Y MABOLGAMPAU

Tair camp helwriaeth		*Saith gamp deuluaidd*	
1	Hela â milgi	1	Barddoniaeth
2	Hela pysgod	2	Canu telyn
3	Hela aderyn	3	Darllen Cymraeg
		4	Canu cywydd gan dant (i gyfeiliant telyn)
		5	Canu cywydd pedwar ac acennu
		6	Tynnu arfau (disgrifio arfau herodrol yn gywir)
		7	Herodraeth

Y GOGAMPAU

1 Chwarae gwyddbwyll (gêm a chwaraeir ar glawr â dwy set
o werin, ond nid *chess* mohono'n wreiddiol)

2 Chwarae tawlbwrdd (gêm lle y mae brenin ac wyth o wŷr
yn erbyn un ar bymtheg o wŷr sy'n ceisio atal y brenin
rhag symud)

3 Chwarae ffristial (gêm â gwerin a dis)

4 Cyweirio telyn

—— GWARCHODFEYDD ——
NATUR CYMRU

* = Mae amodau ymweld yma. Dylid holi ymlaen llaw.

Gwarchodfeydd y Glannau

Aberdyfi ac Ynys-las (Y Borth)
Arfordir Gŵyr*
Chwitffordd (Whitford)
Morfa Harlech
Oxwich*
Twyni Cynffig
Twyni Merthyr Mawr
  (Porth-cawl)
Ynys Enlli
Ynys Llanddwyn
Ynys Sgomer
Ystagbwll*

Gwarchodfeydd
Gwlyptiroedd

Cors Bodeilio
  (Pentraeth, Môn)
Cors Caron*
  (Tregaron, Ceredigion)
Cors Crymlyn (Abertawe)
Cors Erddreiniog*
  (Benllech, Môn)
Cors Fochno
  (y Borth, Ceredigion)
Cors Geirch*
  (Rhydyclafdy, Llŷn)
Cors Goch (Benllech, Môn)
Cors Gyfelog* (Llanllyfni)
Cors y Llyn* (Powys)
Corsydd Llangloffan*
  (Casmorys, Penfro)
Rhos Goch* (Powys)

Gwarchodfeydd
Coetiroedd

Allt y Benglog* (Rhyd-y-main)
Allt Rhyd-y-Groes
  (Rhandir-mwyn)
Ceunant Cynfal
  (Llan Ffestiniog)
Ceunant Llennyrch
  (Maentwrog)
Coed Camlyn* (Maentwrog)
Coed y Cerrig (Llanfihangel
  Crucornau, Mynwy)
Coed Cymerau (Ffestiniog)
Coed Dolgarrog (Conwy)
Coed Ganllwyd (Meirionnydd)
Coed Gorswen (Conwy)
Coed Rheidol (Pontarfynach)
Coed y Rhygen*
  (Trawsfynydd)
Coed Tremadog*
Coedmor*
  (Llechryd, Ceredigion)
Coedydd Aber
  (Abergwyngregyn)
Coedydd Maentwrog
  (Meirionnydd)
Coetiroedd Dyffryn Gwy
Coetir Pen-how (Casnewydd)
Creigiau Stanner* (Maesyfed)
Cwm Clydach
  (Bannau Brycheiniog)
Fforest Pengelli (Eglwyswrw)

Hafod Garegog (Beddgelert)
Nant Irfon (Abergwesyn)
Tŷ Canol (Pentre Ifan)

***Gwarchodfeydd
Ucheldiroedd***
Y Berwyn (Y Bala)
Cader Idris (Dolgellau)
Claerwen (Cwmystwyth)
Craig Cerrig-gleisiad
   (Brycheiniog)

Craig y Ciliau (Llangatwg)
Cwm Glas Crafnant (Trefriw)
Cwm Idwal (Bethesda)
Fan Frynych (Libanus)
Ogof Ffynnon Ddu
   (Aber-craf)
Rhinog
   (Llanbedr, Meirionnydd)
Rhos Llawr Cwrt (Talgarreg)
Yr Wyddfa (Caernarfon)

——— ARFERION ———

BEDWEN HAF

y polyn a godid Galan Mai mewn rhai ardaloedd, a chanol haf
(Gŵyl Ifan) mewn ardaloedd eraill, ei addurno â rhubanau, a'r
dawnsio gan bobl ifanc a oedd wedi ymarfer dawnsio yn cydio
yn y rhubanau hyn

CADI HAF

oedd y prif gymeriad a fyddai'n dawnsio adeg Calan Haf, lle
y byddai cangen haf yn cael ei chario o dŷ i dŷ i gasglu arian

CANGEN HAF

yn y gogledd, polyn â ffrâm i ddal addurniadau megis watsys
a llwyau arian a fyddai'n cael ei dywys o gwmpas ardal i gasglu
arian

CALAN GAEAF (1 TACHWEDD)

adeg cynnau coelcerthi, twco fale (ceisio bwyta afal mewn
twba o ddŵr heb ei gyffwrdd â'r dwylo) a gwisgo fel gwrachod
i fegian bwyd neu arian

CALAN HAF: CALAN MAI (1 MAI)

yr oedd twmpath chwarae gan rai ardaloedd ar gyfer
chwaraeon a dawnsio; yn y de arferid y daplas haf

CALAN HEN/HEN GALAN

dathlu Dydd Calan fel yr oedd cyn newid y calendr yn 1752, yn arbennig yn Llandysul, Ceredigion (12 Ionawr) a Chwm Gwaun, Penfro (13 Ionawr)

CALENNIG

yr anrheg a roir i blant sy'n mynd o dŷ i dŷ yn adrodd a chanu penillion ac yn casglu arian cyn 12 o'r gloch ar Ddydd Calan

CANU LLOFFT STABL

y canu, yr adrodd a'r diddanu a ddigwyddai ymhlith y gweision fferm a fyddai'n manteisio ar ryddid cysgu yn llofft y stabl yn hytrach nag yn y tŷ fferm

CARU YN Y GWELY

gwas yn ymweld â morwyn yn ei hystafell lle mai'r unig ddodrefnyn fyddai'r gwely

CASEG FEDI

ysgub olaf y cynhaeaf y byddai'r gweision yn cystadlu i'w thorri drwy daflu crymanau ati, a'i chario yn sych i'r tŷ tra byddai'r merched i gyd yn ceisio'i gwlychu

Y CEFFYL PREN

delw o ddyn (neu weithiau'r dyn ei hun) a oedd wedi'i gyhuddo o gyflawni trosedd (godineb fel arfer) yn cael ei chario ar bolyn drwy bentref er mwyn dilorni'r troseddwr

CEINIOCA

hawl i ŵr ifanc ofyn am gymorth ariannol yn dilyn colli buwch neu fochyn; ar gyfer rhai hŷn byddai cymdogion yn trefnu Cwrw Bach

CRIAW'R CREWYN

dathlu cael y llwyth olaf i'r ydlan

CWRW BACH

cyfarfod i werthu cwrw a phice er mwyn codi arian; byddai canu a dawnsio yn rhan o'r arfer

CYFLAITH / TAFFI

byddai pobl ifanc yn arfer gwneud taffi cyn mynd i wasanaeth
y Plygain yn gynnar ar fore'r Nadolig

DIWYGIAD

symudiad ysbrydol grymus a ledai'n gyflym o gapel i gapel
drwy Gymru gan ddylanwadu'n ddwys ar filoedd o bobl;
cafwyd diwygiadau yn 1859 ac 1904

DORCAS

cymdeithas o chwiorydd eglwys yn gwnïo dillad ar gyfer y
tlodion

DYDD MAWRTH YNYD

y diwrnod cyn dechrau cyfnod ymprydio'r Grawys pryd y
defnyddid hynny o saim a menyn a oedd yn weddill drwy
weithio crempogau

Y FFON WEN

gwialen o gollen heb y rhisgl a anfonid at gariad gwrthodedig
ar achlysur priodas yr un a'i gwrthododd

Y GOBEITHLU

cymdeithas ddirwest i blant a phobl ifanc a drefnid gan gapeli
Anghydffurfiol

GWASEILA

yr arfer o fynd â chwpan gwasael o dŷ i dŷ i'w lenwi â diod i'w
hyfed a chanu penillion yn dymuno iechyd da i bobl y tŷ, adeg
y Nadolig fel rheol

GŴYL MABSANT

gŵyl flynyddol i goffáu nawddsant plwyf, yn cael ei dilyn gan
rai dyddiau o ddathlu

GWYLNOS

cyfarfod crefyddol anffurfiol a gynhelid y noson cyn yr angladd
yng nghartref un a oedd wedi marw; mae hefyd yn gyfarfod i
groesawu'r flwyddyn newydd

HAFOD A HENDRE

yr hen arfer o anfon anifeiliad i bori ar yr ucheldiroedd yn ystod yr haf a'u dychwelyd i'r iseldiroedd erbyn y gaeaf

HELA'R DRYW

adeg y Nadolig byddai cwmni o bobl ifanc yn mynd â dryw mewn tŷ bychan neu ar elor i gartref pâr a oedd wedi priodi yn ystod y flwyddyn, ac yn canu i ofyn am ddiod

HWYL

dull o bregethu yn ymylu ar lafarganu a fyddai'n dwysáu effaith emosiynol y bregeth

LLWY GARU

llwy bren wedi'i cherfio'n gywrain yn anrheg i ddynodi serch

MAEN ORCHEST

carreg yn pwyso rhwng 75 a 100 pwys a ddefnyddid mewn gornestau profi cryfder trwy ei chodi neu ei chodi a'i thaflu

MARI LWYD

pen ceffyl addurnedig a gâi ei gario o dŷ i dŷ adeg y Nadolig a'r Calan gan gwmni o ddynion a fyddai'n canu penillion traddodiadol ac yn cael eu gwahodd i fwyta, yfed a rhannu difyrrwch

MWRNO CLOCH

gosod gorchudd am dafod y gloch ar ddiwrnod angladd i leihau'r sain

NEITHIOR

gwledd briodas lle y disgwylid i'r gwesteion roi anrheg i'r pâr ifanc a fyddai gyfwerth â'r un a gawsant ganddyn nhw

NOSON LAWEN

noson o ddifyrrwch anffurfiol lle y byddai cymdogion yn ymgynnull yn nhai ei gilydd ar nosweithiau o aeaf; fe'u cysylltid yn y gorffennol â 'pilnos', sef noson paratoi brwyn at ganhwyllau, neu â 'noson wau' ar y cyd

PLYGAIN

canu carolau yn yr eglwys yn gynnar ar fore'r Nadolig yng ngolau cannwyll

SEIAT

cyfarfod a gynhelid i ddechrau mewn cartref neu fferm, ac yna mewn capel neu festri, i drafod a rhannu profiadau crefyddol

SHIMLI

cyfarfod anffurfiol i bobl ifanc eu diddanu eu hunain trwy ganu, dawnsio, adrodd straeon ac ati wrth ddisgwyl i ŷd gael ei grasu mewn odyn

SUL Y BLODAU

y Sul cyn Sul y Pasg pan groesawyd Crist i Jerwsalem; rhoddir blodau ar feddau teuluol i gofio am hyn

TALWRN Y BEIRDD

cystadleuaeth rhwng timau o feirdd

TAPLAS

nosweithiau llawen o ganu a dawnsio a ddigwyddai bob nos Sadwrn o ddydd Llun y Pasg hyd Galan Gaeaf

TWMPATH

darn o dir fel math o lwyfan a baratoid ar gyfer diddanion a chwaraeon haf adeg Calan Haf

YR YSTWYLL

gŵyl eglwysig yn nodi ymweliad y Doethion â Iesu Grist; dyma'r noson (12 noson wedi'r Nadolig) y tynnir yr addurniadau

—— LLANFAIRPWLLGWYNGYLL ——
GOGERYCHWYRNDROBWLL
LLANTYSILIOGOGOGOCH

Yr enw lle hwyaf ym Mhrydain a luniwyd er mwyn denu ymwelwyr.
Llanfair Pwllgwyngyll neu Llanfair Pwll yw'r ffurfiau
a ddefnyddir yn gyffredin.

—— ENWAU AR GARTREF ——

Defnyddiol wrth chwilio am enw i dŷ:

angorfa	foty/hafoty	lloches	tre(f)
annedd	ffau	lluest	twlc
arhosfa/rhosfa	grofft	llys	twll
bod	gwâl	maenor	tŷ
bugeildy	haddef	neuadd	tyddyn/ty'n
bwth	hafan	nyth	ty'n/tyddyn
bwthyn	hafod	plas	
castell	hafoty/foty	preswylfa	
corlan	hendre	preswylfod	
cwrt	llety	rhosfa/arhosfa	

—— SEITHLIW'R ENFYS ——

COCH, OREN, MELYN, GWYRDD, GLAS, INDIGO, FIOLED

sy'n deillio o'r
lliwiau sylfaenol coch, gwyrdd a glas.

Caradog **o**'r **M**ynydd **G**afodd **G**ig **i**'w **F**wyta.

—— ADEG Y MAE ANIFEILIAID ——
YN FFRWYTHLON

caseg	*yn farchus, gwynnedd, rhewys, rhe, marcha, marchio*
buwch	*yn ymosod, gwasod, rhyderig, terfenydd*
gast	*yn cwna, cynheica, yn gynhaig, yn boeth*
cath	*yn cwrcatha, catherig, cathreica*
ceiliog	*yn sathru*
dafad	*yn rhydio, maharena, ymorad,*
dofednod	*yn ceiliogi*
hwch	*yn llodig, llowdio, baeddredog, baedda*
twrci	*yn cwtsio*

YMADRODDION DEUOL

ar gof a chadw	hyd a lled
beunydd beunos	hynt a helynt
blith draphlith	igam-ogam
byth a hefyd	iòd a thipyn
byw ac iach	lap a lol
cael a chael	law yn llaw
caib a rhaw	linc-di-lonc
camp a rhemp	llwyn a pherth
chwit chwat	man a man
dechrau cychwyn	mynd a dod
driphlith draphlith	na bw na be
dwmbwr dambar	na chynt na chwedyn
(sŵn dŵr fel glaw)	na phen na chynffon
yn fân ac yn fuan	na rhych na gwellt
ffit ffat	na siw na miw
ffys a ffwdan	pant a bryn
gefngefn	pen a phastwn
hap a damwain	poeri a thasgu
heb os nac oni bai	pryd a gwedd
hel a didol	rhedeg a rasio
hir a hwyr	rhegi a thaeru
holi a stilio	sioe a swae
hud a lledrith	trin a thrafod
hwn a hwn/hon/hyn	tyngu a rhegi
hwnco manco	yn rhad ac am ddim
hwnt ac yma	yn rhydd ac yn rhwydd
hwp-di-hap	whit-what
hwrli bwrli	ysgwydd wrth ysgwydd
hwyl a sbri	

DYSGU

Rwy'n clywed – ac rwy'n anghofio
Rwy'n gweld – ac rwy'n cofio
Rwy'n gwneud – ac rwy'n deall
Rwy'n profi – ac rwy'n gwybod.

—— CREFYDDAU'R BYD ——

1 *CREFYDDAU INDIA*
Hindŵaeth

Brahman yw enw Duw. Cred yr Hindŵ fod gan ddyn enaid tragwyddol, *atman*, sef presenoldeb Brahman (yr Absoliwt) ym mhob dyn. Mae'r enaid yn cael ei aileni mewn amryfal ffyrdd yn ddiddiwedd yn ôl cyfraith foesol 'achos ac effaith', sef y *karma* sy'n treiddio drwy'r bydysawd. Amcan Hindŵaeth yw *moksha* (gwaredigaeth), sy'n golygu torri'r cylch abred o aileni i fyd o anwybodaeth a dioddefaint, a chyrraedd undod tragwyddol gyda Brahman.

Un ffordd o dorri'r cylch tragwyddol yw trwy
adnabod yr hyn sy'n iawn.
Yr ail ffordd yw trwy gyflawni gweithredoedd addas.
A'r drydedd ffordd yw trwy lwyr ymgysegriad.

Jainiaeth

Fel yr Hindwiaid y mae dilynwyr Jainiaeth yn anelu at gyrraedd y cyflwr o *moksha*, ond nid ydynt yn credu yn Nuw. Mae angen i'r enaid *jiva* gael ei ryddhau o'i gaethiwed yn y *karma* (bywyd materol y byd, sy'n wahanol i *karma* Hindŵaeth). Y mae hyn yn bosibl trwy ddysgu gwersi'r Jina, sef athrawon dynol sydd wedi llwyddo i gyrraedd y cyflwr o *moksha*, ac sy'n barod i rannu'r ffordd o'i gyrraedd â'u dilynwyr. Mae'n ffordd sy'n galw am hunanymwadaeth trwy dyngu:

i dderbyn y ffordd ddi-drais,
i ddweud y gwir,
i ymwrthod â chyfathrach rywiol,
i beidio â chymryd dim os nad yw wedi'i gynnig,
i ymwahanu oddi wrth bobl, lleoedd a phethau.

Siciaeth

Cred y Sîc yn yr un Duw *Sat Guru*, ac yn y deg Guru sydd wedi datgelu dysgeidiaeth y *Sat Guru*. Mae Sîc yn ceisio glynu at bum arwydd allanol:

gwallt heb ei dorri (yn derbyn ewyllys Duw),

crib (arwydd o fywyd ysbrydol dan reolaeth),

dagr o ddur (i amddiffyn y gwirionedd),

breichled o ddur (yn uno Sîc, Duw a Guru),

dilledyn isaf arbennig (yn dangos cryfder moesol).

2 CREFYDDAU TSIEINA

Nid yw dysgeidiaeth Confucius yn pwysleisio Duw a datguddiad, ond yn hytrach y berthynas iawn rhwng pethau a phobl. Dysgeidiaeth sylfaenol arall yw Taoistiaeth sy'n pwysleisio ymdreiglo gyda'r llif. Gwneud dim yw'r gyfrinach, a thrwy hyn cyflawnir pob peth. Yn y ddwy ddysgeidiaeth y mae disgwyl cydbwysedd rhwng y grymoedd gwrthgyferbyniol *yin* a *yang*. Credir yn *ch'i*, sef rheoli grymoedd naturiol y corff trwy ymarferion anadlu.

3 BWDHAETH – INDIA, TSIEINA, JAPAN

Nid yw Bwdhaeth yn derbyn bod yna'r fath beth ag enaid *atman*, ond yn hytrach fod bywyd dynol yn symud yn barhaol trwy newidiadau ymddangosiadol (gan gynnwys marwolaeth) sy'n cael eu rheoli gan ddeddf 'achos ac effaith' y *karma*. Y nod yw torri allan o'r cylch yma, ac fe wneir hyn trwy gyrraedd cyflwr o *nirvana* (gwaredigaeth). Nid ymdoddi i Brahma nac ymuno â Duw mo hyn, ond yn hytrach ymwahanu oddi wrth y byd a'i bethau trwy oleuedigaeth (*enlightenment*), sef yr hyn a ddysgir gan Bwdha.

4 CREFYDDAU'R DWYRAIN CANOL
Iddewiaeth

Yn y dechreuad creodd yr un Duw (*Yahweh*) y byd a phopeth ynddo. Rhoddodd ryddid ewyllys i ddynion i ddewis ffordd Duw neu beidio. Anufuddhaodd y bobl i'r fath raddau fel y boddodd Duw y byd mewn dilyw, gan adael Noa a'i deulu yn unig. Lluniodd gyfamod â Noa gan ddechrau ar y gwaith o adfer perthynas. Datgelodd Duw ei hun trwy'r proffwydi, cyflwynodd y *Torah* (gorchmynion Duw a oedd yn gyfamod rhyngddo Ef a'i bobl). Gorchwyl yr Iddewon, pobl Dduw, yw tystio i sancteiddrwydd mewn byd annuwiol a chreulon.

Cristnogaeth

Mae Cristnogion yn derbyn llyfrau'r *Hen Destament*, sef Beibl yr Iddewon, sy'n gosod yr hen gyfamod rhwng Duw a'i bobl, ond credant mai Iesu Grist yw'r cyfamod newydd rhwng Duw a dyn. Trwy Iesu Grist fe ddaeth Duw ei hun i mewn i'r byd, a thrwy groeshoeliad Iesu Grist mae'n cynnig maddeuant pechodau i unrhyw un sy'n credu yn ei Fab. Credir hefyd fod Iesu Grist wedi atgyfodi o'r marw a bod ei ysbryd ar waith yn y byd heddiw.

Islam

Y neges a bregethwyd gan Mohamed oedd: 'Does dim duw ond Duw, sef Allah (yr un sydd Dduw), a Mohamed yw ei broffwyd'. Amcan Islam yw cyrraedd cyflwr o dangnefedd a diogelwch gyda Duw, trwy gyfamodi a bod yn ffyddlon iddo. Mae Islam yn cydnabod Abraham, Moses, y brenin Dafydd ac Iesu Grist fel proffwydi mawr Duw, ond cred mai Mohamed yw'r olaf a'r mwyaf o'r proffwydi hyn. Y *Qur'an* yw gair Duw fel y'i datgelwyd i Mohamed. Pum colofn Islam yw:

1. y datganiad, 'Does dim duw ond Duw, a Mohamed yw ei negesydd'
2. y gweddïau y mae'n rhaid eu hadrodd bum gwaith yn feunyddiol
3. yr ympryd adeg *Ramadan*
4. y rhoddion elusennol i'r tlodion
5. y bererindod i Mecca y dylai pob Mwslim geisio'i chyflawni unwaith yn ystod ei fywyd.

Y RHEOL AUR

Y mae'r crefyddau uchod bron i gyd yn cydnabod y rheol a geir yn ei ffurf negyddol gan Confucius: 'Na wnewch i eraill yr hyn na ddymunech chi iddynt hwy ei wneud i chwi'; ac yn ei ffurf bositif yn neges Iesu Grist: 'Pa beth bynnag y dymunwch i eraill ei wneud i chwi, gwnewch chwithau felly iddynt hwy.'

—— RHAI GEIRIAU ——
A GAMSILLEFIR YN AML

bandin	.....*nid*.....	bandyn
cod	.....*nid*.....	côd
fframyn	.....*nid*.....	fframin
glob	.....*nid*.....	glôb
henffasiwn	.....*nid*.....	hen ffasiwn
lorri	.....*nid*.....	lori
Llychlynnwr	.....*nid*.....	Llychlynwr
môr-hwch	.....*nid*.....	morhwch
ocsygen	.....*nid*.....	ocsigen
orenau	.....*nid*.....	orennau
pilipala	.....*nid*.....	pili-pala
tennis	.....*nid*.....	tenis
twnnel	.....*nid*.....	twnel

—— Y SIDYDD ——

1	yr Hwrdd	**Aries**	21 Mawrth–20 Ebrill
2	y Tarw	**Taurus**	21 Ebrill–21 Mai
3	yr Efeilliad	**Gemini**	22 Mai–21 Mehefin
4	y Cranc	**Cancer**	22 Mehefin–23 Gorffennaf
5	y Llew	**Leo**	24 Gorffennaf–23 Awst
6	y Forwyn	**Virgo**	24 Awst–23 Medi
7	y Fantol	**Libra**	24 Medi–23 Hydref
8	y Sarff	**Scorpio**	24 Hydref–22 Tachwedd
9	y Saethydd	**Sagittarius**	23 Tachwedd–22 Rhagfyr
10	yr Afr	**Capricorn**	23 Rhagfyr–20 Ionawr
11	y Dyfrwr	**Aquarius**	21 Ionawr–19 Chwefror
12	y Pysgod	**Pisces**	20 Chwefror–20 Mawrth

—— GEIRIAU TAFODIEITHOL ——

Y mae rhai gwrthrychau'n fwy cyfoethog na'i gilydd yn yr amrywiaeth
dafodieithol a ddefnyddir wrth eu henwi. Dyma rai ohonynt:

Melysion

cacen . . .	Trefaldwyn
candi . . .	pen dyffryn Wysg
cisys . . .	Rheidol/Ystwyth
da-da . . .	Gogledd (ond gair plant)
fferins . . .	Gogledd
losin . . .	De
melysion . . .	Teifi/Tywi
mingceg . . .	pen dyffryn Conwy
neisis . . .	Penfro
pethau da . . .	Môn
taffis . . .	Morgannwg
swîts . . .	ym mhob ardal

Defnydd Sychu Trwyn

cadach poced . . .	Gogledd
ffunen . . .	Môn
hances poced . . .	rhwng Dyfi ac Wnion
hancisher . . .	rhwng Tywi a Nedd
macyn poced . . .	rhwng Rheidol a Chothi
nicloth . . .	sir Benfro
nished . . .	rhwng Nedd a Thaf

Lle Caeedig – i'r gwartheg yn bennaf

beili . . .	Gogledd Tywi a Thaf
buarth . . .	Canolbarth a Gogledd
clos . . .	De-orllewin
cowt . . .	Môn
cwrt . . .	Bro Morgannwg
ffald . . .	rhwng Ystwyth a Dyfi
heol . . .	sir Benfro
iard . . .	Llŷn

Cael Eich Taro

cosfa . . .	canol rhwng Dyfi a Thawe
cot(en) . . .	De Cymru
crasfa . . .	De-orllewin Penfro
cweir . . .	Gogledd
hws . . .	Dyfrdwy, ger y ffin
stîd . . .	Môn

Hefyd: curfa, cwrbits, sgwrfa, pannu,
wado, pwno, cwrban, clatsio,
clowto, hergwd, colbad

Y Mochyn Bach Lleiaf

bach y nyth . . .	Llŷn
cardodwyn . . .	De-orllewin
ceglyn . . .	Dyffryn Aeron
crincyn . . .	Môn
cwlyn . . .	Conwy/Clwyd
gwaddodwyn . . .	rhwng Aeron a gogledd Teifi
ratlin . . .	rhwng Tanat a Fyrnwy
tin y nyth . . .	Gogledd-ddwyrain

—— DIWRNOD HIR, NOSON FER ——

Mae'r diwrnod hwyaf, Alban Hefin sef 21 Mehefin,
yn hwy na'r noson hwyaf, ac mae'r diwrnod byrraf,
Alban Arthan sef 21 Rhagfyr, yn hwy na'r noson ferraf.

—— DARLLENWCH! ——

Ffiath Angyhoel

Gllau arothrul yr ynnymedd:

Yn ôl ychwmliwyr ym Mhyfirsgol Cwraeagrnt deos dim
gawahinaeth ym mha dfren y mae llrthynneau yn ymongddas
mwen giar. Yr uing beth piwysg yw bod y llerythyn gntayf a'r
llryethyn oalf yn eu lle. Fe all y gweiddll fod yn gmyeysgdd llywr
ac fe awllch eu dellran yn rhywdd. Ohreywdd nid yw'r mwddel
yn drellan fuesl llthryyen ond fseul giar cayfn.

PEDWAR MARCHOG AR HUGAIN
—— LLYS ARTHUR ——

*Cyfeillion hynaf Arthur y Cymry oedd Cei a Bedwyr, ond wrth i'w
enwogrwydd dyfu, felly hefyd nifer y marchogion a'i dilynai. Roedd gan bob
un o farchogion y Ford Gron gynneddf (dawn) arbennig. Mae pedwar ar
hugain yn rhif arwyddocaol wrth fesur fesul tri yn 'Trioedd Ynys Prydain'.*

1 Tri Marchog Tafod Aur
Gwalchmai ap Llew, Drudwas ap Tryffin ac Eliwlod ap Madog:
Beth bynnag a ddymunent gan frenin neu arglwydd hwy a'i caent.

2 Tri Marchog Gwyryfol
Bwrt ap Bwrt, Peredur ap Efrog a Galath ap Lanslod:
Ni allai na gwrach na chawr nac unrhyw ysbryd drwg wrthsefyll
y rhain.

3 Tri Chadfarchog (marchogion brwydr)
Cadwr Iarll Cernyw, Lanslod Lac ac Ywain ab Urien:
Ni chilient o ofn gwaywffon, na chleddyf na saeth.

4 Tri Lledrithiog Farchog
Menw ap Teirgwaedd, Trystan ap Tallwch ac Eiddilig Gorach:
Medrai'r rhain eu newid eu hunain i unrhyw ffurf y dymunent
pan oeddynt mewn perygl.

5 Tri Brenhinol Farchog
Nasiens mab Brenin Denmarc, Medrod ap Llew a Howel ap
Emyr Llydaw:
Nid oedd na brenin nac ymerawdwr a allai eu gwrthod adeg
heddwch oherwydd eu tegwch a'u doethineb, ac ni allai na milwr
nac ymladdwr eu gwrthsefyll mewn brwydr.

6 Tri Chyfiawn Farchog
Blaes mab Iarll Llychlyn, Cadog ap Gwynlliw a Pedrog
Baladrddellt (hollt waywffon): Ymladdent yn erbyn unrhyw un a
wnâi gam, yn ôl cyfraith y byd, cyfraith yr eglwys a chyfraith arfau.

7 Tri Gwrthnifiad Farchog (h.y. rhai na allai neb eu gwrthsefyll)

Sanddef Bryd Angel, Morfran ap Tegid, a Glewlwyd Gafaelfawr:
Sanddef oherwydd ei harddwch, Morfran oherwydd ei hagrwch,
a Glewlwyd oherwydd ei faint a'i greulondeb.

8 Tri Chynghorol Farchog (da eu cyngor)

Cynon ap Clydno Eiddyn, Aron ap Cynfarch a Llywarch Hen:
Pa argyfwng bynnag a godai, cynghorai'r rhain Arthur fel na
byddai neb yn drech nag ef.

—— DOSBARTHIAD ——
LLYFRAU DEWEY

000 – 099 Gwybodaeth Gyffredinol   *500 – 599 Gwyddoniaeth*
100 – 199 Athroniaeth   *600 – 699 Technoleg*
200 – 299 Crefydd   *700 – 799 Celfyddydau*
300 – 399 Cymdeithaseg   *800 – 899 Llenyddiaeth*
400 – 499 Iaith   *900 – 999 Daearyddiaeth, Hanes*

Cyfraith 340   *Coginio 641*
Mathemateg 510   *Daearyddiaeth 910*
Ceir 629   *Cofiannau 920*
Garddio 635   *Hanes 940*

—— CAOS ——

Wrth i wyddonwyr astudio pethau mor wahanol â symudiadau'r
awyr uwch ein pennau a phatrymau'r Farchnad Stoc,
sylweddolwyd bod newidiadau mân iawn yng nghyflwr
cychwynnol y tywydd neu'r farchnad yn arwain at newidiadau
mor amrywiol, nad oes modd eu darogan. Cawn wybod y
dyfodol pan gyrhaeddwn ef, a dim cyn hynny.

—— ARFAU'R BRENIN ARTHUR ——

Rhogomiant, ei waywffon; Caledfwlch, ei gleddyf; Carnwennan, ei ddagr;
Prydwen, ei long; Wynebgwrthucher, ei darian;
Gwen, ei fantell hud; Cafall, ei gi.

── Sut i Ddarllen ──
Cyfeiriadau Grid ar Fapiau

1   Mae mapiau Arolwg Ordnans yn seiliedig ar sgwariau 1 km ar grid 100 km sgwâr

2   Mae'r llythrennau cychwynnol yn nodi ym mha sgwâr 100 km yn union y gorwedd lle yr ydych chi'n chwilio amdano, ond nid yw'r llythrennau hyn yn ymddangos ar fapiau cyffredin, dim ond ar y mapiau mawr, sy'n fanwl iawn.

3   Felly y rhifau sy'n dilyn y llythrennau yw'r rhai y byddech chi'n chwilio amdanynt fel arfer.

   i. Mae'r ddau rif cyntaf yn cyfeirio at y rhifau sy'n rhedeg o'r chwith i'r dde ar frig y dudalen (ceir yr un rhifau ar y gwaelod hefyd), sef rhifau'r dwyrain.
     Mae'r rhifau hyn yn nodi llinell **chwith** y blwch sy'n cynnwys yr enw lle.

   ii. Mae'r ddau rif nesaf yn cyfeirio at y rhifau sydd yn rhedeg o waelod y dudalen i'w brig, sef rhifau'r gogledd.
     Mae'r rhain yn nodi llinell **waelod** y blwch sy'n cynnwys yr enw lle.

Y mae'r lleoliad **x** uchod yn cael ei ddangos gan y cyfeiriad SM/7525, ac o edrych ar y map priodol (SM), fe welwch mai Tyddewi yn sir Benfro yw'r lle hwn.

── Doethinebau ──

— *Gwerth dy wybodaeth a phryn synnwyr.*

— *Lle'r cyhoeddwr cydwybodol? Rhywle rhwng y ci a'r postyn!*

— *Y deryn cynnar sy'n dal y mwydyn; ond yr ail lygoden sy'n cael y caws…*

— *Beth yn y byd yw archwilio? Rhoi allwedd cwt ffowls i gadno.*

— ARIAN Y COFI —

Enwau arbennig trigolion tref Caernarfon ar eu harian

magan . . . . dimai	hannar bwl . . . hanner coron
niwc . . . . ceiniog	bwl . . . . coron
tair niwc . . . . pisyn tair	hannar sgrin . . . . chweugain
sei . . . . chwe cheiniog	sgrin . . . . punt
hog . . . . swllt	pum sgrin . . . . . . pum punt
dau hog . . . . deuswllt	❀

— GWEISION —
A MORYNION FFERM

Gwas fferm   gweithiwr fferm

Pen gwas; gwas pennaf hwsmon; gyda'r pen gwas y
byddai'r ffermwr yn trafod ac yn trefnu'r
gwaith

Gwas ceffylau; gwas march y gwas a oedd yn gyfrifol am
y ceffylau – dyma'r swydd uchaf ei pharch

Ail was

Gwas bach; gwas twt hwn oedd yn was i bawb arall

Morwyn   merch yn gweini ar fferm

Morwyn fawr   y ben forwyn

Morwyn drwodd; morwyn tŷ morwyn ffedog wen, na wnâi
waith allan; hi oedd â gofal dros y teulu

Morwyn y llanciau; morwyn briws hi oedd yn gwneud
caledwaith tŷ, golchi'r lloriau, gwneud bwyd
i'r gweision, godro, gweithio ymenyn, pobi

Morwyn allan; morwyn odro gwaith allan, godro,
bwydo'r moch

Morwyn deri (dairy) llaeth, menyn a chaws

Morwyn ddwyn gofal plant, nani

Morwyn fach y ddistatlaf o'r morynion yn cyfateb
i'r gwas bach

—— DETHOLIAD O EIRIAU ——

Geiriau ac ymadroddion sy'n digwydd apelio at y casglwr oherwydd
eu sain, y cysyniad a gyfleir neu oherwydd ystyr wahanol i'r arferol:

angel pen ffordd	
a diawl pen pentan	rhywun sy'n ymddangos yn ddymunol ond sy'n hollol wahanol gartref
anasbaradigaethus	anobeithiol o ofnadwy
bachan bore	un siarp iawn
bethma	heb fod yn arbennig
blas hir hel	blas cas
blewyn da	golwg dda ar anifail
blodyn	cyfarchiad sy'n golygu 'cariad' neu gyfarchiad cariadus
boddfa	o chwys, neu o ddagrau, fel arfer
bratiaith	iaith ansafonol
brecwast ceiliog	
chwadan (hwyaden)	cymaint o frecwast ag y mae gŵr newydd briodi yn ei gael er mwyn cyrraedd ei waith mewn pryd ar ôl caru yn y bore
Brenin y Bratiau!	ebychiad o ryfeddod
britho crimogau	eistedd mor agos at dân agored nes bod blaen y coesau'n cochi
briws	cegin tŷ fferm lle y byddai'r gweision yn bwyta; neu benty yn nhalcen tŷ
broc	gwallt coch, melyn neu lwyd (anifail gan amlaf) yn gymysg â gwyn
bwldagu	tagu
bwrw'r Sul	dydd Sadwrn a dydd Sul (penwythnos)
bywiawnid	ymestyn breichiau wedi codi
caff	math o bicwarch ond â phigau yn wynebu'r un ffordd â rhaca
camagara, camfflabats	organau rhywiol merch

cargywain	cludo cymysgedd o lwyth eithaf diwerth am bellter mewn cerbyd
cas cadw	golwg allanol dyn neu anifail
cersan	bwlch rhwng gwaith cerrig a ffrâm drws
ci rhech	un o nifer o gŵn bach a fyddai'n bresennol mewn cinio hir a moethus i foneddigion slawer dydd; yn ystod y gwledda, pe bai un o'r boneddigion yn digwydd torri gwynt, un o'r cŵn bach fyddai'n cael y bai a'i ddiarddel o'r ystafell
clardingo	gwartheg yn rhedeg yn wyllt i osgoi Robin y gyrrwr (*warble-fly*)
clatsh	teisen heb ei choginio
cledren	cal stalwyn; 'gwialen' oedd y gair a ddefnyddid am anifeiliaid eraill
clipach (Môn), crapach (Ceredigion)	dwylo diffrwyth oherwydd yr oerfel
clywed y gog	byw nes daw'r gwanwyn
c'nuta (cynudo)	casglu cynnud, hel coed tân
codi trontolion	gosod eich dwylo ar eich gwasg fel dwy ddolen cwpan
coedio	mynd yn gyflym
crabi	dolen ffon
croen ei din ar ei dalcen	mewn hwyliau drwg
crybiad	llond lein o ddillad
cwinten	rhaff a ddelir ar draws y ffordd i atal car pâr newydd briodi nes iddynt daflu arian er mwyn ei gostwng
cwla	heb fod yn iach
cwynosfwyd	unrhyw bryd o fwyd ond brecwast
cyci bei	cysgu (ymadrodd plentyn)
cyfarchwel, cyfarchwyl	y man diddos yr eir â'r cnydau iddo adeg y cynhaeaf

cyllell sbaddu malwod	rhywbeth da i ddim
cynefin	y darn o fynydd-dir agored y cedwir ato yn reddfol gan ddefaid un fferm
chwipio rhewi	rhewi'n galed
dala'r slac yn dynn	gwneud y lleiaf sydd raid
dallt y dalltings	gwybod sut mae pethau i fod
dannod	edliw
dau ddwbwl a phlet	wedi plygu bron yn ddwy, hynod o gam
daw bola'n gefn	anogaeth i blentyn fwyta'i fwyd i gyd
decini	'mae'n debyg gen i'
deche	celfydd, deheuig
diridano	cartrefol, diymffrost
dot, y ddot	pendro, penddot
drewi dros naw perth a chamfa	drewi'n ofnadwy
fflachod	esgidiau blêr a gwael
fflonsio	gwella peth
ffregot	rhyw stori hir gwmpasog
ffyll	gwyllt ei dyfiant, naturiol
ffylltith	'ar ffylltith' – yn gyflymach na throtian ond yn arafach na charlamu
glastwr	cymysgedd o laeth a dŵr
gleuod	dom da wedi'i sychu er mwyn ei ddefnyddio fel tanwydd
glaw tyrfe	lemonêd
gloywi gleuod	gwneud i rywbeth digon cyffredin swnio'n llawer gwell nag ydyw trwy ddefnyddio termau ffasiynol
gorest	lle agored ac oer
gwarlingo	y sŵn y mae cloc mawr henffasiwn yn ei wneud cyn taro'r awr
gwlei	goeliaf i
heth	eira mawr, oerfel
honco	wedi meddwi

jocôs	cyfforddus
jolihoitan	cael amser da
lapswchan	cusanu
larts	hunanfoddhaus ac ymffrostgar
llamsachus	prancio, rhywun neu rywbeth sy'n llawn bywyd
llefeleth	'dim llefeleth' – dim syniad
malcyn	procer tân
medelwyr	y criw a ddeuai ynghyd i helpu adeg cynhaeaf
merch y crydd	esgid
merwino	'merwino clustiau' – poeni clustiau rhywun (â sŵn cas)
mihifir-mihafar dim bwch a dim gafar	dyn merchetaidd
misi	ffyslyd, cysetlyd
moelyd clustiau	ymateb anifail mewn tymer ddrwg trwy wastatáu ei glustiau ar y pen i wrando
mwn	am wn i
pabwyr	llinyn mewn cannwyll
pango	llewygu
palff	'palff o ddyn' – clamp o ddyn
panso	cymryd gofal i wneud rhywbeth yn dda
pen swllt, cynffon dimai	yn ymddangos yn dda ond yn cuddio gwendidau
pisio dryw bach yn y môr	cyfraniad pitw at ryw dasg
porcyn	noethlymun
pwlffacan	trafferthu
randibŵ	mwstwr
reu	mariwana
rhipyn	rhiw serth
rhoch	blas cryf, siarp
sbeng	gwawd
sbens	ystafell fach dan stâr

sgothi celwydde	taenu celwyddau fel dolur rhydd
sgrwb	cyhyrau yn gwingo ar ôl gweithio'n hir
sgut	hoff iawn o
shinachad	torri'n flêr
shobet	organ rhywiol merch
smonach	(gwneud) stomp (o bethau)
swmpo	mwytho, anwesu
tablen	cwrw
taflod (y dowlad)	hanner llofft uwchben y beudy, 'mezzanine'
talcen slip	nad yw o unrhyw safon
te coch	te heb laeth
torri asgwrn cefn (rhywbeth)	cyflawni rhan anoddaf tasg
troi heibio	paratoi corff i'w gladdu
trumwedd	ôl rhywbeth bron na ellwch ei weld
trwco	cyfnewid
wa'	was
wâsh'i	'ngwas i
wch-i	wyddoch chi
whilibawan	tin-droi
whiwgi	cryman coes hir at dorri sietin
wir i wala	digon gwir
ymdrybaeddu mewn trythyllwch	fel mochyn yn rholio yn y llaid a'r llaca

—— EGWYDDOR ANSICRWYDD ——
HEISENBERG

Y darganfyddiad nad oes modd, yn y byd isatomig, fesur amser ac egni yr un pryd. Gellir mesur momentwm dernyn isatomig, a gellir nodi ei leoliad, ond ni ellir gwneud y ddau beth gyda'i gilydd. Yn ychwanegol at hyn, daethpwyd i'r casgliad fod y sawl sy'n mesur y naill beth neu'r llall yn dylanwadu ar yr ateb a geir, gan danseilio'r gred mai gwirioneddau amhersonol a gwrthrychol yw gwirioneddau gwyddonol.

—— DAU FERSIWN ——
O ENWAU'R BYSEDD

Bys Bwtsyn, Twm Sgwlyn, Long Harris, Jac Dafis, Wil Bach
Bys y bawd, Bys yr uwd, Top y gogor, Jac y Viper, Jerico Bach

—— ENWAU CYMRAEG AR LEOEDD——
YNG NGWEDDILL PRYDAIN

Amwythig	Shrewsbury	Dulyn	Dublin
Bryste	Bristol	Dyfnaint	Devon
Caer	Chester	Fforest	
Caeredin	Edinburgh	y Ddena	Forest of Dean
Caer Efrog	York	Gaer, y	Thornbury
Caerfaddon	Bath	Gwlad yr Haf	Somerset
Caerfuddai	Chichester	Henffordd	Hereford
Caer-gaint	Canterbury	Lerpwl	Liverpool
Caergrawnt	Cambridge	Llanllieni	Leominster
Caerhirfryn	Lancashire	Llundain	London
Caerliwelydd	Carlisle	Llwydlo	Ludlow
Caerloyw	Gloucester	Manceinion	Manchester
Caerlŷr	Leicester	Penbedw	Birkenhead
Caersallog	Salisbury	Rhosan	
Caerwrangon	Worcester	ar Wy, y	Ross-on-Wye
Caer-wynt	Winchester	Rhydychen	Oxford
Caer Wysg	Exeter	Ynys Manaw	Isle of Man
Caint	Kent	Ynys Wyth	Isle of Wight
Cernyw	Cornwall	Ynysoedd	
Cilgwri	Wirral	Erch	Orkney Islands
Clas-ar-Wy, y	Glasbury	Ynysoedd	
Croesoswallt	Oswestry	Heledd	The Hebrides

—— DAN BWYSAU ——

Os oes gormod o bethau ar dy feddwl ac yn dechrau dy ddrysu, siarada â'r meddyliau hyn! Eglura nad oes amser gennyt yn awr i ddelio â nhw, ond, o gael dy adael yn llonydd, y deui yn ôl atynt erbyn amser penodol. Bydd hyn yn gweithio cyd â'th fod yn cadw dy addewid i fynd yn ôl atynt.

—— MEDDYGAETHAU AMGEN ——

THERAPI PEGYNOL (Polarity Therapy)

ceisio sicrhau llif ynni'r corff – *prana* yr India neu *ch'i* Tsieina – trwy gyffwrdd â chanolbwyntiau ynni neu begynau'r corff er mwyn cyfeirio neu ailgyfeirio'r llif.

ACWBIGO (Acupuncture)

Adnabyddiaeth o'r pegynau lle y mae egni'n crynhoi yn y corff, a'r defnydd o nodwyddau main – weithiau ynghyd â cherrynt trydanol gwan neu wres – i ysgogi'r egni hwnnw. Yn ogystal â thrin rhai anhwylderau, mae'n gallu gweithio fel anesthetig.

ACWBWYSO (Acupressure)

Defnyddio pwyso neu dylino i ysgogi'r pegynau lle y mae egni'n crynhoi yn y corff.

Shiatsu

Pwysau bysedd ar begynau egni.

Tui na

Ffurf Tsieineaidd ar dylino'r corff, eto'n canolbwyntio ar y pegynau egni.

TECHNEG ALEXANDER

Dull o ailhyfforddi'r corff ynghylch y ffordd naturiol i sefyll, eistedd, gorwedd ac ati, trwy ganolbwyntio ar y cydbwysedd naturiol rhwng y pen, y gwddf, abwydyn y cefn a gweddill y corff. Mae'n arbennig o addas ar gyfer pobl sy'n treulio amser hir yn eistedd (wrth ddesg, offeryn cerdd ac ati) a all arwain at gamystumio'r cefn.

AYURVEDA

Meddygaeth draddodiadol o'r India. Mae'n cynnwys meddyginiaeth, seicoleg, diwylliant, crefydd ac athroniaeth sy'n ei throi yn ffordd o fyw. Iechyd da yw cyflwr lle y mae'r corff, y meddwl, yr enaid a'r amgylchfyd mewn cydbwysedd â'i gilydd.

MEDDYGINIAETHAU BLODAU (EDWARD) BACH
(Bach's Flower Remedies)

Rhin blodau wedi'i pharatoi yng Nghymru gan y
Dr Edward Bach mewn dull tebyg i homeopatheg.

Y CAMPAU MILWROL *(Martial Arts)*

Credir bod llawer o'r campau hyn yn deillio o ddawnsio
ffurfiol crefyddol. Daethant yn fodd i ystwytho a chryfhau'r
corff, ac yna sylweddolwyd, o ddefnyddio'r un ymarferion
yn gyflymach ac yn egnïol, y gallai person eu defnyddio
i'w amddiffyn ei hun neu i ymosod ar elyn.

Ta'i Chi

Poblogeiddiwyd yr arfer hwn gan Mao Tse-Tung, ac y
mae lluniau o Tsieineaid yn troi'n osgeiddig i gwblhau
hyd at 128 osgo yn un o ddarluniau nodweddiadol y wlad.

Ta'i Chi, Aikido

Pwyslais y rhain yw gwneud llai er mwyn cyflawni mwy,
gan adael i'r corff lifo'n naturiol. Rhaid wrth gymar ar
gyfer Aikido. Gofynnant am ddatblygu sgiliau synfyfyrio
ac astudiaeth o'r athroniaeth y tu ôl i'r ymarferion.

Sinewali

Defnyddir ffyn hir yn yr arfer hwn. Daw o Ynysoedd
y Pilipinas.

Capoeira

Arfer a ddatblygwyd gan gaethweision du Brasil, gan
gyfuno dawns â dulliau amddiffyn a chryfhau'r corff.

Cwng-ffw, Jiwdo, Carate

Mae'r rhain yn defnyddio symudiadau caled, unionsyth
ac yn galw am gryfder a dygnwch corfforol.

CEIROPRACTEG, OSTEOPATHEG

Llaw-drin esgyrn a chyhyrau'r corff, yn arbennig felly
asgwrn y cefn.

HYDROTHERAPI'R PERFEDD MAWR *(Colonic Irrigation)*

Y broses o olchi'r perfedd â dŵr cynnes trwy diwb i fyny'r rhefr (anws) er mwyn gwaredu'r gwaddod sydd wedi crynhoi o fewn y perfedd.

HOMEOPATHEG

Mae'n seiliedig ar yr egwyddor fod yr un elfennau sy'n achosi afiechyd mewn person iach, yn gallu cael eu defnyddio, mewn dosau gwan iawn, i wella person sy'n dioddef o'r afiechyd hwnnw. Dyma felly ddull o drin afiechyd drwy ddefnyddio dosau gwan iawn iawn o sylweddau naturiol a fyddai'n creu symptomau afiechyd mewn person iach. Pethau sydd i'w cael ym myd natur yw'r sylweddau homeopatheg a ddefnyddir i gryfhau systemau amddiffynnol y corff.

HYPNOTEIDDIO

Y broses o ganiatáu i awgrymiadau a gynigir gan yr un sy'n eich hypnoteiddio dreiddio'n ddyfnach i'ch isymwybod ac yna i'ch ymwybyddiaeth yn gyffredinol.

LLYSIEUAETH

Y defnydd o unrhyw ran o blanhigyn i wneud un o dri pheth: puro'r corff, cynyddu gallu'r corff i'w wella ei hun, cryfhau iechyd e.e mae sudd yr erwain *(Meadowsweet Filipendula ulmaria)* yn llawn o asid salisylig, neu asbrin yn iaith bob dydd. Gogoniant sudd yr erwain yw bod yr asid o fewn jeli sy'n ei atal rhag llosgi'r cylla, fel sy'n gallu digwydd gydag asbrin pur.

ADWEITHEG *(Reflexology)*

System o dylino'r corff er mwyn lleddfu tensiwn a thrin afiechyd, yn seiliedig ar y ddamcaniaeth fod yna fannau adweithiol ar rannau arbennig o'r corff sy'n gysylltiedig â phob rhan arall.

Adweitheg y Llaw ac Adweitheg y Droed
Systemau lle y gwelir map o'r corff a'i anhwylderau ar wadnau'r troed neu ar gledr y llaw.

Iridoleg

Astudiaeth o enfys y llygad i adnabod anhwylderau. Ceir mapiau lle y mae gan bob chwarren ei lle ar yr enfys.

TECHNEGAU YMLACIO

Mae rhai yn hynafol, fel ioga a thechnegau synfyfyrio, ac eraill yn defnyddio offer cyfoes, fel arnofio mewn tanc o ddŵr hallt, neu beiriant yn cynhyrchu 'sŵn gwyn' neu drwy adnabod y tonnau trydanol ymlaciol a gynhyrchir gan yr ymennydd dan wahanol amgylchiadau. Eu hamcan bob un yw lleihau tyndra.

TYLINO'R CORFF *(Massage)*

Pob math o ffyrdd o gyffwrdd y corff i'w ysgogi i ymlacio, i wella rhai mathau o anhwylder ar y cyhyrau neu jyst er mwyn teimlo'n well.

THERAPÏAU MAETH *(Nutrition Therapies)*

Mae'r rhain yn seiliedig ar yr hyn yr ydym yn ei fwyta (neu ddim yn ei fwyta) a'r ffaith fod anghenion pob un yn wahanol, bod yna nifer o fitaminau y mae'n rhaid wrthynt er mwyn i'r corff weithio'n iawn, a'r cysyniad mai bwyd yw'r feddyginiaeth fwyaf effeithiol ohonynt i gyd.

—— CYSONYN HUBBLE ——

Mesurodd y seryddwr Edwin Hubble bellter y galaethau y gallai eu gweld drwy delesgop, a'i fesur drwy gofnodi lliwiau goleuni'r galaethau. Wrth wneud hyn darganfu mai'r pellaf yr alaeth y mwyaf y rhuddiad *(redshift)*. Golyga hyn fod y galaethau'n cyflymu yn eu pellter o'r Ddaear. Galwyd y berthynas rhwng y cyflymdra a'r pellter yn 'cysonyn Hubble', a'i arwyddocâd yw:

1   bod y bydysawd wedi dechrau ar un adeg benodol â ffrwydrad anferthol (*The Big Bang*);
2   bod modd pennu oed y bydysawd, a'r farn gyffredinol erbyn hyn yw mai 13 biliwn o flynyddoedd yw hwnnw;
3   bod y bydysawd yn ehangu.

—— ENW LLEOEDD AC ENW POBL ——

Mae perthynas arbennig rhwng enwau Cymru'r wlad ac enwau Cymry'r bobl. Mae llawer o enwau lleoedd yn cynnwys enwau pobl e.e. yr holl saint Celtaidd a goffeir yn ein Llannau.

Dyma restr o enwau pobl yn deillio o enwau lleoedd a darnau o dir, y rhan fwyaf yng Nghymru –

Aeron (afon) Ceredigion
Aethwy Môn
Alaw (afon) Môn
Aled (afon) Dinbych
Alun (afon) Fflint
Alwen (afon) Clwyd
Arfon (ardal) Gwynedd
Berian (bryn) Penfro
Berwyn (mynydd-dir)
Brenig (afon) Dinbych
Brianne (llyn) Caerfyrddin
Briwnant (nant) Ceredigion
Brynmor (bryn mawr)
Cadnant (nant) Gog. Cymru
Caeach (nant) Morgannwg
Caeo (plwyf) Caerfyrddin
Camwy (afon) Patagonia
Carrog (afon) Caernarfon
Ceidrych (afon) Caerfyrddin
Ceiriog (afon) Dinbych
Ceiro (nant) Ceredigion
Cellan (pentref) Ceredigion
Cemais (pentref) Môn
Cemlyn Môn
Cerist (afon) Powys
Cledan (afon) Powys
Cledlyn (nant) Ceredigion
Cledwyn (afon) Dinbych
Clwyd (ardal)

Clynnog (pentref) Gwynedd
Cothi (afon) Caerfyrddin
Creunant (pentref)
  Morgannwg
Cynfael (afon) Gwynedd
Cynlais (afon) Morgannwg
Cynrig (afon) Brycheiniog
Dansi (bryn) Conwy
Darren (tarren – esgair)
Degannwy (pentref)
Delfryn (bryn pert)
Deudraeth (o Benrhyn-
  deudraeth)
Dinmael Meirionnydd
Dulais (afon) Abertawe
Dwyfor (afon) Gwynedd
Dwyryd (afon) Gwynedd
Dyfed (ardal)
Dyfi (afon) Meirionnydd
Eiddwen (llyn) Ceredigion
Elenid (tir uchel) Powys
Elfed (hen frenhiniaeth
  yn Lloegr)
Emlyn (am + glyn)
  Caerfyrddin
Erin (hen enw ar Iwerddon)
Erwyd (Ponterwyd)
  Ceredigion
Ffrancon (nant) Gwynedd

Garan (nant)
Garth (pentir) amryw
Gerwyn (cwm) Powys
Glanffrwd (enw barddol)
Glanmor (glan + mawr)
Glannant (glan + nant)
Glasnant (glas + nant)
Glyn (cwm)
Gurwyn (Gwauncaegurwen)
Gwalia (Cymru)
Gwarnant (garw + nant)
Gwenallt (allt – wen)
Gwendraeth (afon)
  Caerfyrddin
Gwesyn (afon) Powys
Gwili (afon) Caerfyrddin
Gwydol (nant) Powys
Gwynant (nant) Gwynedd
Gwynedd (brenhiniaeth)
Gwynfi (afon) Morgannwg
Gwynfil (plwyf) Ceredigion
Gwynfryn (lle chwedlonol)
Gwyrfai (afon) Gwynedd
Hafren (afon) Severn
Hawen (afon) Ceredigion
Henllys (castell) Ceredigion
Hiraethog (ardal)
Irfon (afon) Powys
Isfoel (is + y foel) enw barddol
Isfryn (is + bryn)
Islwyn (is + llwyn) Gwent
Llifon (afon) Gwynedd
Maelor (ardal)
Manod (llyn) Ceredigion
Marlais (afon) Caerfyrddin
Mechain (ardal)
Meidrim Caerfyrddin
Menai (afon) Môn

Milwyn (esgair) Cwmystwyth
Moelwyn (mynydd) Meirion.
Môn (sir)
Morlais (afon) Caerfyrddin
Mostyn Y Fflint
Myfyr (Llanfihangel Glyn
  Myfyr)
Myrddin (Caerfyrddin)
Nefyn (Llŷn)
Odwyn (Llanbadarn Odwyn)
Ogwen (afon) Gwynedd
Onllwyn Morgannwg
Pennant (cwm)
Pennar (Aberpennar)
Penrhyn (pentir)
Peris (afon) Gwynedd
Powys (ardal)
Prysor (nant)
Rhoslyn (rhos + llyn)
Rhydwen Ceredigion
Talfan Gŵyr
Talfan (ardal Talafan)
Talfryn amryw
Tawe (afon)
Tegryn Penfro
Teifi (afon) Ceredigion
Teifryn (Teifi + bryn)
Terwyn (cwm) Mallwyd
Towy (afon) Caerfyrddin
Towyn Meirionnydd
Trefin Penfro
Trefor (tref fawr)
Tryfan (mynydd)
Twynog (twyn)
Tyweli (afon) Caerfyrddin
Tywi (afon) Caerfyrddin
Tywyn Gwynedd
Wyre (afon) Ceredigion

—— HEN ARIAN ——

chwidlin x 2 = hatling
hatling x 2 = ffyrling
ffyrling x 2 = dimai
dimai x 2 = ceiniog
ceiniog x 3 = pisyn tair
grot (4 ceiniog)
pisyn chwech (6 cheiniog) chwechyn
swllt (12 ceiniog)
deuswllt (24 ceiniog) fflorin
hanner coron (30 ceiniog)
coron (60 ceiniog) pum swllt
papur chweugain (120 ceiniog)
papur punt (240 ceiniog)
gini (punt a swllt, 252 ceiniog)

—— YR YSGRIFEN AR Y MUR ——

Mene, Mene, Tekel, Wparsin
Fe'th bwyswyd yn y glorian a'th gael yn brin

—— HEN FFORDD O FESUR ——

'winfedd	trwch ewin
modfedd	mesur bawd
dyrnfedd	mesur hyd dwrn caeedig (4 modfedd)
troedfedd	hyd troed
llathen	wrth fesur defnydd, y pellter o flaen y trwyn hyd ben y bysedd
gwryd	hyd gŵr (*fathom*)
mwrw	cyfrif fesul tair llechen, sef dull chwarelwyr o gyfrif gynt

—— CYMERIADAU ——
LLYFR MAWR Y PLANT

Ffrindiau Wil Cwac Cwac	*Teulu Siôn Blewyn Coch*
Martha Plu Chwithig (ei fam)	Siân Slei Bach (ei wraig)
Sioni Ceiliog Glas	Wil y Winc
Ifan Twrci Tena	Ned y Gynffon
Twm Tatws Oer	Mic Pawen Ddu
Dic Pen Moel	Nanw Hirglust
Bob Dwdldŵ	Nel Trwyn Tamp
Now Trwyn Smwt	
Huw Herc	
Topsi Pencwm	

—— HEN WLAD FY NHADAU ——

Mae Hen Wlad fy Nhadau yn annwyl i mi,
Gwlad beirdd a chantorion, enwogion o fri;
Ei gwrol ryfelwyr, gwladgarwyr tra mad,
Dros ryddid collasant eu gwa'd.

Cytgan

Gwlad! Gwlad! pleidiol wyf i'm gwlad,
Tra môr yn fur i'r bur hoff bau,
O bydded i'r heniaith barhau.

Hen Gymru fynyddig, paradwys y bardd,
Pob dyffryn, pob clogwyn, i'm golwg sydd hardd;
Trwy deimlad gwladgarol, mor swynol yw si
Ei nentydd, afonydd i mi.

Os treisiodd y gelyn fy ngwlad dan ei droed,
Mae heniaith y Cymry mor fyw ag erioed;
Ni luddiwyd yr awen gan erchyll law brad,
Na thelyn berseiniol fy ngwlad.

Evan James

—— BWYDYDD Y CYMRY ——

bara brith
> Yn wreiddiol, siwgr, lard a ffrwythau sych wedi'u
> hychwanegu at does bara.

bara lawr
> Gwymon wedi'i drin a'i ferwi a'i ffrio mewn blawd.

brwes
> Bara ceirch wedi'i fwydo mewn cawl cig eidion neu laeth
> cynnes.

bwdran, bwdram
> Blawd ceirch wedi'i fwydo mewn dŵr oer dros nos a'i hidlo.
> Berwid y trwyth a'i arllwys dros fara wedi'i falu i'w fwyta i
> swper.

cawl
> Darn o gig, tatws, llysiau a pherlysiau wedi'u berwi ynghyd
> a'r cymysgedd wedi ei dewhau â blawd.

cnwswd
> Pryd o fwyd mewn piser â hosan amdano i'w gadw'n gynnes.

cramwythen, crempog, ffroes, pancos, slapan
> Cymysgedd o flawd, llaeth ac wyau i wneud cacennau crwn
> tenau ar y maen.

diod fain
> Diod wedi'i gwneud o gymysgedd o ddanadl poethion
> a dail eraill. Byddai'r burum a roid yn y cymysgedd wedi
> eplesu gan greu diod befriol.

ebilon
> Diod wedi'i gwneud o sudd grawn yr ysgawen. Fe'i rhoddid
> yn gynnes i rai mewn angladdau.

lobsgows
> Cawl heb ei dewhau â blawd.

llaeth enwyn
> Llaeth wedi'i gorddi a'r menyn wed'i dynnu ohono.

llymru
> Blawd ceirch wedi'i fwydo mewn dŵr oer a llaeth enwyn
> a'i adael i suro. Yna hidlid y trwyth a'i ferwi a'i fwyta'n
> oer mewn llaeth neu ddŵr a thriog.

medd
  Diod gadarn wedi'i gwneud o fêl.

miogod
  Teisennau bach tenau, crwn ar gyfer Nos Galan ym Mhenfro.

mwtrin, ponsh, potsh, stwnsh
  Tatws ac un llysieuyn arall wedi'u cydferwi a'u malu.

pice ar y maen
  Toes, â chwrens ynddo, wedi'i grasu'n deisennau bach
  ar y maen neu'r radell.

posel, poset
  Llaeth neu laeth enwyn wedi'i gymysgu (a'i geulo) â gwin
  i wneud meddyginiaeth.

potes, isgell
  Dŵr y mae cig wedi'i ferwi ynddo.

siencyn te
  Bara menyn mewn te, wedi'i flasu â llefrith a siwgr.

siot
  Bara ceirch wedi'i falu'n fân a'i adael i fwydo mewn llaeth
  enwyn oer.

stwmp
  Tatws wedi'u berwi a'u malu.

sucan
  Blawd ceirch yn cael ei adael mewn dŵr dros nos, hidlo'r
  cymysgedd, ei ferwi neu ei dewhau a'i fwyta'n oer mewn llaeth.

tablen
  Cwrw cartref gwan ac ysgafn.

teisen Berffro
  Math ar fisgeden yn cynnwys blawd, siwgr a menyn ac
  wedi'i chrasu yn y ffwrn.

teisen lap
  Cymysgedd o gytew gwlyb yn cynnwys cwrens, wyau a
  llefrith wedi'i goginio'n dorth yn y ffwrn mewn tun neu
  ar blât enamel.

—— **PALINDROM CYMRAEG** ——

(yn darllen yr un peth yn ôl ac ymlaen)
A dyma'r addewid diweddar am y da.

—— BYRFODDAU LLADIN ——

AD	*Anno Domini*	ym mlwyddyn ein Harglwydd OC (*Oed Crist*)
ad lib.	*ad libitum*	faint a fynnir
ad loc.	*ad locum*	ar wyliadwriaeth/gwarchod
a.m.	*ante meridiem*	cyn hanner dydd, *y bore*
c. *neu* ca.	*circa*	tua
cf.	*confer*	cymharer â
DV	*Deo volente*	a Duw yn dymuno hynny
et al.	*et alii (aliae, alia)*	ac arall, ac eraill
etc.	*et cetera*	ac yn y blaen, *a.y.b.*
fl.	*floruit*	ym mlodau ei ddyddiau
ibid.	*ibidem*	yn yr un lle/ffynhonnell
i.e.	*id est*	hynny yw, *h.y.*
loc. cit.	*loco citato*	yn y man y soniwyd amdano
MD	*Medicinae Doctor*	meddyg
mo.	*modus operandi*	dull o weithredu
NB	*nota bene*	sylwer *DS (Dalier Sylw)*
nem. con.	*nemine contradicente*	heb neb yn anghytuno (unfrydol)
non seq.	*non sequitur*	nid yw'n dilyn
op.	*opus*	darn o waith
op. cit.	*opere citato*	yn y gwaith y cyfeiriwyd ato
p.a.	*per annum*	y flwyddyn, *y flwyddyn*
p.m.	*post meridiem*	prynhawn, *y prynhawn; yr hwyr*
p.p.	*per procurationem*	ar ran
pro tem.	*pro tempore*	am y tro; dros dro
p.s.	*postscriptum*	ysgrifennwyd wedyn, *ON (ôl nodyn)*
q.e.d.	*quod erat demonstrandum*	fel y profwyd
q.v.	*quod vide*	yn cyfeirio at destun o fewn gwaith
RIP	*requiescat in pace*	gorffwysed mewn hedd
sic	*sic*	fel hyn
v.	*vide*	gweler, *gw.*
v. inf.	*vide infra*	gweler isod
viz	*videlicet*	sef, *h.y.*
vox pop.	*vox populi*	llais y bobl
vs.	*versus*	yn erbyn

— Coelbren y Beirdd —

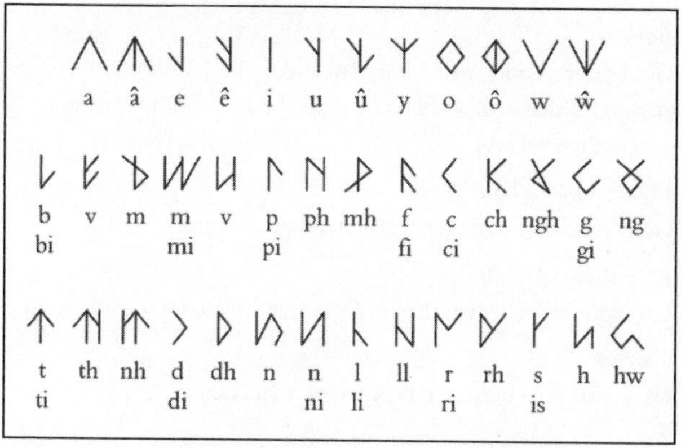
a â e ê i u û y o ô w ŵ
b v m m v p ph mh f c ch ngh g ng
bi mi pi fi ci gi
t th nh d dh n n l ll r rh s h hw
ti di ni li ri is

— Hen Fesurau Grawn —

	Ceirch	Haidd	Gwenith
Chwart =	1 pwys	1lb 8oz	1lb 14½ oz

4 chwart = Galwyn
4 galwyn = Cibyn
2 gibyn = Pwysel
2 bwysel = Storad
2 storad = Hobaid
2 hobaid = Pecaid
5 pecaid = Clwydiad

(Dywediada Gwlad y Medra)

— Dawns y Gwenyn —

Trwy astudiaethau manwl, mae gwyddonwyr wedi dangos bod 'dawns' y gwenyn yn cyfleu cyfeiriad a phellter ffynhonnell o baill a neithdar i weddill y gwenyn. Credir hefyd fod gwenyn yn medru mordwyo yn ôl yr haul, hyd yn oed pan nad yw'r haul i'w weld, a'u bod yn gallu 'gweld' goleuni uwchfioled a thrwy hyn yn adnabod patrymau ar ddail na fedr bodau dynol eu gweld.

—— GÊMAU'R CYMRY ——

Bando
Gêm debyg i hoci, neu *hurling* Iwerddon, lle y ceisiai tîm â
chynifer â deg ar hugain o chwaraewyr fwrw pêl rhwng pyst
eu gwrthwynebwyr.

Broch yng nghod
Gêm yn dynwared baetio broch (mochyn daear).

Bwmbwr
Un plentyn â mwgwd dros ei lygaid yn ceisio dal y plant eraill.

Cadno
Un plentyn yn gadno, y lleill yn gŵn yn ceisio'i ddal.

Cadw ffwrn fach
Cystadleuaeth rhwng dau was fferm. Safent gefn wrth gefn
â ffon rhwng eu coesau, a byddai'r naill yn ceisio diffodd
cannwyll a'r llall ei chadw ynghynn.

Ceffylau bach
Reidio ar gefn plentyn arall.

Ceilys
Rholio pêl neu ddisg gan geisio bwrw i lawr gynifer o byst pren
(sgitls) ag sy'n bosibl.

Cerrig bach
Taflu pump o gerrig i'r awyr a cheisio'u dal ar gefn y llaw.

Cnapan
Gêm lle'r oedd grwpiau mawr o ddau blwyf (ar draed neu
ar gefn ceffyl) yn ceisio cael pêl i mewn i borth eglwys eu
gwrthwynebwyr.

Coetio
Cystadleuaeth taflu disgiau haearn at bostyn.

Cylch a bachyn
Ffon fetel a bachyn ar ei phen a ddefnyddid i rolio cylch haearn
tua 18 modfedd ar ei draws.

Chwarae crown
Gêm fwrdd lle y mae un chwaraewr yn ceisio cipio cownteri
ei wrthwynebydd.

Chwarae pêl
Dau neu bedwar person yn taro pêl â'u dwylo o fewn cwrt tair
ochr (megis cwrt sboncen); tebyg i *hand ball* a chwaraeir o hyd
yn Iwerddon.

Data-meddw
Bachgen mawr yn ceisio dal plant bach ac yn rhoi coten iddyn
nhw pan lwyddai!

Eirthio
Defnyddio cŵn i faetio arth (yn achos yr holl arferion baetio,
y cyfle i fetio ar y canlyniad oedd yr atyniad).

Ffwtit (sir Benfro)
Neidio dros gefn plentyn sydd wedi lled gyrcydu.

Gwyddbwyll
Gêm yn defnyddio gwerin (darnau) ar glawr (bwrdd); mae'r
gêm wreiddiol yn wahanol i *chess*.

Maen orchest
Codi, neu godi a thaflu, carreg hirgron rhwng 75 a 100 pwys,
i brofi nerth.

Sbei
Rhedeg a chuddio.

Shiligwt
Cystadleuaeth tynnu rhaff.

Stôl Ganddo
Gêm yn defnyddio bwrdd a phegiau; y gamp yw dal y cadno
a'r 13 o wyddau.

Ymladd Ceiliogod
Yr arfer o osod sbardunau metel ar draed ceiliogod iddynt
ymladd nes bod un pencampwr yn aros. Fel gyda'r holl arferion
baetio, y betio ar yr enillydd oedd yr atyniad.

── DADANSODDIAD SWOT ──

Bydd dadansoddi sefyllfa o safbwynt:

Cryfderau	**S**	*Strengths*
Gwendidau	**W**	*Weaknesses*
Cyfleoedd	**O**	*Opportunities*
Bygythiadau	**T**	*Threats*

yn gymorth i benderfynu pa gamau i'w cymryd nesaf.

── TEULUOEDD BRENHINOL ── A PHENDEFIGION CYMRU

1   Gruffydd ap Cynan Brenin Gwynedd (12fed ganrif)

2   Rhys ap Tewdwr Brenin Deheubarth (11eg ganrif)

3   Bleddyn ap Cynfyn Brenin Powys (11eg ganrif)

4   Elystan Glodrudd Brenin Rhwng Gwy a Hafren (11eg ganrif)

5   Iestyn ap Gwrgant Brenin Morgannwg (11eg ganrif)

6   Ynyr Brenin Gwent (11eg ganrif)

7   Hwfa ap Cynddelw o Fôn (12fed ganrif) y cyntaf ymhlith *Bonedd Gwŷr y Gogledd*

8   Llywarch ap Brân o Fôn (12fed ganrif) yr ail ymhlith *Bonedd Gwŷr y Gogledd*

9   Gweirydd ap Rhys Goch o Fôn (12fed ganrif) y 3ydd ymhlith *Bonedd Gwŷr y Gogledd*

10   Cilmin Troed-ddu o Gaernarfon (9fed ganrif) y 4ydd ymhlith *Bonedd Gwŷr y Gogledd*

11   Collwyn ap Tangno o Harlech (9fed ganrif) y 5ed ymhlith *Bonedd Gwŷr y Gogledd*

12   Nefydd Hardd o Gaernarfon (12fed ganrif) y 6ed ymhlith *Bonedd Gwŷr y Gogledd*

13   Maelog Crwm o Gaernarfon (12fed ganrif) y 7fed ymhlith *Bonedd Gwŷr y Gogledd*

14   Marchudd ap Cynan o Gaernarfon a Dinbych (10fed ganrif) yr 8fed ymhlith *Bonedd Gwŷr y Gogledd*

15   Hedd Molwynog o Ddinbych (12fed ganrif) y 9fed ymhlith *Bonedd Gwŷr y Gogledd*

16   Braint Hir o Ddinbych (9fed ganrif) y 10fed ymhlith *Bonedd Gwŷr y Gogledd*

17   Marchweithian o Ddinbych (11eg ganrif) yr 11eg ymhlith *Bonedd Gwŷr y Gogledd*

18   Edwin o Degeingl (11eg ganrif) y 12fed ymhlith *Bonedd Gwŷr y Gogledd*

19   Ednywain Bendew o Fflint (11eg ganrif) y 13eg ymhlith *Bonedd Gwŷr y Gogledd*

20   Eunydd o Werngwy Dinbych (11eg ganrif) y 14eg ymhlith *Bonedd Gwŷr y Gogledd*

21   Ednywain ap Bradwen o Feirion (12fed ganrif) y 15fed ymhlith *Bonedd Gwŷr y Gogledd*

22   Tudur Trefor (10fed ganrif) pennaeth llwyth y Mers

23   Bleddyn ap Maenarch o Frycheiniog (11eg ganrif)

24   Moreiddig Warwyn o Frycheiniog a Chaerfyrddin (12fed ganrif)

25   Gwaethfoed Fawr o Geredigion (11eg ganrif)

26   Cadifor ap Dinawal o Dde Ceredigion (12fed ganrif)

27   Syr Aaron ap Rhys ap Bledri o Gaerfyrddin (12fed ganrif)

28   Syr Rhys ap Thomas o Gaerfyrddin (16eg ganrif)

29   Caradog Gŵyr o Fro Gŵyr (12fed ganrif)

30   Griffith Gethin o Ynys Tawe (Canol Oesoedd)

31   Ifor Hael o Fynwy (14eg ganrif)

32   Celynin o Lwydiarth, Maldwyn (12fed ganrif)

33   Llywelyn o Grugeryr, Maesyfed (14eg ganrif)

34   Philip Dorddu o Faesyfed (14eg ganrif)

35   Gwrwared o Benfro (13eg ganrif)

36   Hywel Gawr o Benfro (14eg ganrif)

—— Effaith Hawthorne ——

Wrth gynnal prosiect peilot (neu arbrawf) mewn sefydliad arbennig – e.e. arbrofi system newydd o ddarllen er mwyn gwella safon ddarllen – yr arfer yw dewis rhai sefydliadau tebyg i'r un y cynhelir yr arbrawf ynddo sydd yn defnyddio'r system arferol, er mwyn cymharu canlyniadau'r ddwy system.

Yr hyn a ganfuwyd mewn profion a gynhaliwyd mewn lle o'r enw Hawthorne yn America yw bod y safonau (darllen) yn codi yn y sefydliadau sy'n defnyddio'r system arferol unwaith y byddant yn gwybod eu bod yn rhan o arbrawf, beth bynnag yw canlyniad y system arbrofol.

—— Rheol Goodhart ——

Mewn ieithwedd economeg – nid oes raid fod perthynas ystadegol sy'n ymddangos yn sefydlog yn aros felly os caiff ei defnyddio yn gyfrwng rheoli.

Mewn termau lleyg – unwaith yr ynyswch chi ran o system i fod yn ddangosydd cyflawni (e.e. rhestr aros ysbyty), mae'n peidio â bod yn ddangosydd cyflawni oherwydd y ffordd y bydd pobl yn ceisio ystumio'r ystadegau.

—— Tranc Coedwig ——

Yn y 18fed ganrif, er mwyn canolbwyntio ar werth masnachol y coed, fe blannodd coedwigwyr llywodraeth Prwsia goedwigoedd unffurf, yn cynnwys coed o'r un rhywogaeth ac o'r un oed, mewn llinellau syth. Rhoddwyd digon o le gwag rhyngddynt a hynny ar lain wastad agored a fyddai'n caniatáu clirio'r prysgwydd heb adael lle i botsiwyr. Dyma herio trefn natur lle y ceir cymysgedd o rywogaethau a lle mae gan y prysgwydd a'r drysni hefyd eu rhan. O fewn canrif ymddangosodd yr ymadrodd 'tranc coedwigol' (*forest death*) yn ganlyniad i fethiant yr arbrawf i gyfundrefnu byd natur.

—— TEULUOEDD ——

	benyw	**gwryw**	**epil**	**casgliad**	**swˆn**
	arthes	arth	cenau		rhuo
	asen	asyn	ebol		nadu
	bleiddiast	blaidd	cenau	cnud	udo
	brân		cyw	branes	crawcio
Gwartheg	buwch	tarw	llo	gyr/buches	brefu
	cadnawes	cadno	cenau		cyfarth
Ceffyl	caseg	march	ebol/cyw	gre	gweryru
	cath	cwrci	cath fach		mewian
	corgast	corgi	cenau	haid	cyfarth
	crances	gwrgranc			
	cwningen	bwch	lefren		mewian
	dafad	hwrdd/ maharen	oen	praidd/ diadell	brefu
	dyfrast	dyfrgi	cenau		
	eryres	eryr		eryres	
Carw	ewig	hydd/bwch	elain	haid	
	gafr	bwch gafr	myn	diadell	brefu
	gast	ci	cenau	haid	cyfarth
	gwenynen	bygegyr		haid/gre	sïo
	gŵydd	clacwydd			clegar
Mochyn	hwch	baedd	porchell	cenfaint	rhochian
	hwyaden	barlat/marlad	cyw		cwacian
Eog	hwyfell	cemyw	glasfaran, gleisiad	haig	
	iâr	ceiliog	cyw	haid/iares	clochdar
Pysgodyn	iâr	ceiliog	silod	haig/traill	
	llewes	llew	cenau	cnud	rhuo
	llwynoges	llwynog	cenau		cyfarth
	miliast	milgi	cenau	pac	cyfarth
	mwyalchen	aderyn du	cyw	haid	canu
	peunes	paun	cyw		sgrechain

—— Lliwiau'r Gymraeg ——

coch...... gwaed coch cyfan *(full blood relation)*
gwallt coch *(ginger/brown)*
cwrw coch *(mild beer)*
te coch *(black tea)*
jôcs coch *(blue jokes)*
perfformiad coch (gwael)
tir coch (tir wedi'i aredig)
bara/siwgr coch (bara/siwgr brown)
arian cochion (ceiniogau a dimeiau)

cochi..... gwrido (wyneb)
aredig (tir)
mygu (cig)
llosgi yn yr haul (tir a chroen)
treulio drwy fynych gerdded (porfa)

glas....... awyr las
carreg las (llechen)
tir glas (heb ei aredig)
daear las (porfa)
glaslanc *(teenager)*
ceffyl glas (llwyd)
arian gleision *(silver coins)*
glastwr (llaeth wedi'i deneuo)
glaswenu (lled wenu) *smirk*
gorau glas (eithaf) *very best*
y glas (heddlu)

glasu..... gwawrio (dydd)
troi'n wyrdd (tyfiant, tato had)
egino (coed, planhigion)
gwelwi (croen, wyneb)
aeddfedu (caws)

gwyn..... arian gwynion *(silver coins)*
gwyn eu byd (sanctaidd)
cig gwyn (braster)
coffi gwyn (coffi â llaeth)
fy machgen gwyn (hoff)
gwenith gwyn (aeddfed)
gwin gwyn (melyn golau)

CAMPAU'R DECATHLON

y diwrnod cyntaf: *ras 100 metr; naid hir;*
taflu maen; naid uchel; ras 400 metr

yr ail ddiwrnod: *ras 110 metr dros y clwydi;*
taflu disgen; neidio â pholyn; taflu gwaywffon; ras 1,500 metr.

GWARTHEG
YN EU HOED A'U HAMSER

anner ..... buwch ifanc wedi bwrw ei llo cyntaf
neu heb fwrw llo

buail ..... math o ych hynafol

bustach ..... llo tarw disbaidd

buwch ..... benyw gwartheg ar ôl bwrw ei hail lo

dyniawed ..... gwartheg ifanc (gwryw a benyw)
o 12 hyd 18 mis oed

eidion ..... bustach

enderig ..... bustach ifanc

heffer ..... buwch ifanc heb fwrw llo

llo ..... epil buwch, yn llo fenyw
(sylwch ar y treiglad), neu yn llo gwryw

myswynog ..... buwch heb lo ynddi

tarw ..... gwryw gwartheg heb ei sbaddu

treisiad ..... buwch ifanc heb fwrw llo

ych ..... gwryw o deulu'r fuwch a ddefnyddid
gynt i wneud gwaith trwm ar y tir

(gyda diolch i *Cydymaith Byd Amaeth*, Gwasg Carreg Gwalch)

PI π

Symbol sy'n dynodi'r gymhareb a geir wrth rannu cylchedd cylch
â'i ddiamedr yw pi, π; mae ychydig yn fwy na 3 (3.14159265 i
bwrpas ymarferol). Ni ellir ei fynegi'n gywir drwy rannu rhifau
cyflawn. Nid yw'r patrwm a geir fel degolyn yn ailadrodd ei hun
er bod π erbyn heddiw wedi'i gyfrif hyd at 51,539,600,000 rhif
ar ôl y pwynt degol. Bathwyd yr arwydd gan William Jones,
Llanfihangel Tre'r-beirdd Ynys Môn a aned yn 1675.

—— GWIRIONEDD NEU DDAU ——

Os nad yw tasg yn ymddangos yn rhwydd, nid ydych chi'n
gweithio'n ddigon caled.

Rydym yn gwerthfawrogi'r hyn yr ydym yn ei fesur, yn hytrach
na mesur yr hyn yr ydym yn ei werthfawrogi.

Byddwn yn treulio mwy o amser yn pwyso'r mochyn nag yn ei
fwydo.

Nid rhoi'r gorau i chwarae oherwydd ichi fynd yn hen y
byddwch chi, ond mynd yn hen oherwydd
ichi roi'r gorau i chwarae!

Mae tair ochr i bob stori – eich ochr chi, fy ochr i, a'r
gwirionedd.

Os bydd dau berson yn anghytuno, mae un ohonynt yn gwybod
rhywbeth na ŵyr y llall. Adnabod y
'rhywbeth' hwnnw fydd y cam cyntaf tuag
at ddatrys yr anghytundeb.

Mae profiad yn athro caled: mae'n gosod y prawf yn gyntaf
ac yn dysgu'r wers wedyn.

Cael yr hyn a ddymuni yw llwyddiant –
derbyn yr hyn a gei yw hapusrwydd.

Nid gorau pwyll – pwyllgorau.

Mae tri math ar ddyn – dyn sy'n gallu cyfrif a dyn nad
yw'n gallu cyfrif.

Nid yw'r dyfodol yn debyg i'r hyn a fu.

Tlodi sy'n peri ymgais
Ymgais sy'n peri llwyddiant
Llwyddiant sy'n peri cyfoeth
Cyfoeth sy'n peri balchder
Balchder sy'n peri cynnen
Cynnen sy'n peri rhyfel
Rhyfel sy'n peri tlodi
Tlodi sy'n peri heddwch
Heddwch a thlodi sy'n peri ymgais.

—— $E = MC^2$ ——

Hafaliad Einstein sydd yn seiliedig ar yr ynni anferthol sydd ynghudd mewn mater.

E (ynni) = m (màs) x c^2 (buanedd goleuni [300,000 kilometr yr eiliad] x buanedd goleuni) sy'n golygu bod digon o ynni mewn kilogram o unrhyw beth (e.e. pecyn o siwgwr) i ferwi can biliwn tegellaid o ddŵr, neu i ddifa dinas gyfan.

—— PHI ——

Cysonyn 1.618 sy'n sylfaen i'r 'Gyfran Ddwyfol' (*Divine Proportion*) yw *phi*. Mae'r gyfran 1:1.618 yn un o sylfeini adeiladwaith natur. Rhennwch y pellter rhwng eich ysgwydd a phen blaen eich bysedd â'r pellter rhwng eich penelin a blaen eich bysedd, a'r ateb fydd 1.618. Gwnewch yr un peth â'r berthynas rhwng eich morddwyd a'r llawr, rhwng eich pen-glin a'r llawr, a'r berthynas rhwng y bys a chymalau'r bys. Dyma sy'n rheoli troellau ar gragen, lleoliad dail ar rai coesau planhigion, ac sydd yn sylfaen i lun enwog Leonardo da Vinci, 'Dyn Vitruvius'.

—— Y LLYSYWEN ——

Am flwyddyn cludir larfae llyswennod gan gerhyntau'r môr o'u man geni ym Môr Sargaso i'r afonydd lle y byddant yn tyfu ac yn goroesi am ddeng mlynedd neu ragor. Yna bydd perfeddion y llysywen yn edwino, a chan ddefnyddio braster y corff, bydd y llysywen yn dychwelyd i Fôr Sargaso i epilio a marw. Hyd yn hyn nid oes neb wedi llwyddo i ddal llysywen ar ei ffordd yn ôl i Fôr Sargaso, na darganfod sut y bydd yn cael hyd iddo.

—— LLYN VOSTOK ——

Llyn o ddŵr sy'n gorwedd dan 4 kilometr o iâ yn yr Antarctig yw Llyn Vostock. Cafodd ei gau oddi wrth y byd o leiaf filiwn o flynyddoedd yn ôl, ac un o'r dirgelion mawr na chafwyd ateb iddo eto yw a oes bywyd o fewn y llyn hwn ai peidio.

—— GRADDFA CALEDWCH MOHS ——

Rhif	*Mwyn/metel*	*Lefel o galedwch y gall*	*Sylweddau ar y lefel yma*
1.	Talc	ewin bys ei falu	papur, rhai prennau
2.	Gypswm	ewin bys ei grafu	plastigion
3.	Calchit	darn efydd fel ceiniog ei grafu	alwminiwm
4.	Fflworit	gwydr ei grafu	dur carbon isel
5.	Apatit	cyllell boced ei grafu	dur peiriannu
6.	Ffelspar	cwarts ei grafu	dur offer
7.	Cwarts	ffeil ddur ei grafu	dur buanedd uchel
8.	Topas	corwndwm ei grafu	
9.	Corwndwm	diemwnt ei grafu	clwt emeri, twngsten carbid
10.	Diemwnt	dim ond diemwnt all grafu diemwnt	offeryn torri diemwnt

—— HERIO DISGYRCHIANT ——

Bydd angen pedwar ohonoch chi ac un gwirfoddolwr a fydd
yn barod i eistedd mewn cadair gyffredin heb freichiau.

Y dasg yw i'r pedwar godi'r person yma yn rhwydd ac
yn ddidrafferth o'i gadair.

1. Wedi i'r gwirfoddolwr eistedd, ceisiwch eich pedwar ei godi.
2. Nawr, sefwch o gwmpas y gwirfoddolwr gan osod eich
   dwylo am yn ail, bob yn ddau, yn wastad ar ei ben.
3. Gwasgwch i lawr am 5–7 eiliad.
4. Plethwch fysedd eich dwy law ynghyd, gan ymestyn
   y ddau fys blaen.
5. Dau ohonoch i osod eich bysedd (blaen estynedig) dan
   geseiliau'r gwirfoddolwr.
6. Y ddau arall i osod eu bysedd (blaen estynedig) dan
   benliniau'r gwirfoddolwr.
7. Ar y gair, codwch (ond byddwch yn ofalus – fe fydd y
   gwirfoddolwr yn codi'n uwch o lawer nag y dychmygwch).

Ymarferwch yn gyntaf, heb wasgu ar y pen, gan y dylai'r
symudiadau ddilyn ei gilydd yn llyfn ac yn ddi-dor.

—— CROESAU CRISTNOGOL ——

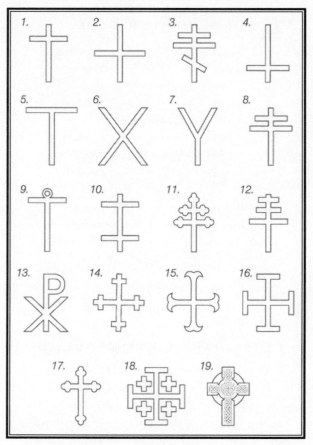

1. *Croes Ladin (y Croeshoeliad)* 2. *Croes Roeg* 3. *Croes Rwsiaidd*
4. *Croes San Pedr* 5. *Croes San Antwn* 6. *Croes Sant Andreas*
7. *Croes 'Y'* 8. *Croes Lorraine* 9. *Croes ansate (â dolen)*
10. *Croes Batriarchaidd* 11. *Croes cardinal* 12. *Croes y Pab*
13. *Croes Cystennin (yn cynnwys CHR am Crist)* 14. *Croesled*
15. *Croes felinaidd* 16. *Croes Caersalem* 17. *Croes botonnée*
18. *Croes bumban (fivefold)* 19. *Croes Geltaidd*

—— TREFN BRAINT ——
AC ANRHYDEDD
PENDEFIGAETH LLOEGR

Brenin ———————— Brenhines

Tywysog ———————— Tywysoges

Dug ———————— Duges

Ardalydd ———————— Ardalyddes

e.e. Ardalydd Môn

Iarll ———————— Iarlles

e.e. Iarll Dwyfor; Iarll Powis, Iarll Radnor

Is-iarll ———————— Is-iarlles

e.e. Is-iarll Tyddewi

Barwn ———————— Barwnes

e.e. Barwn Raglan; Barwn Harlech; Barwn Aberconwy

Marchog ———————— Bonesig: Dâm

CBE

OBE

MBE

—— DIFODIANT Y DEINOSORIAID ——

Yn hwyr yn yr 1970au canfuwyd yn yr Eidal
haen o glai yn gyforiog o elfen fetelaidd brin iawn,
sef iridiwm. Credid ei bod wedi dod i'r Ddaear fel
rhan o gomed neu seren wib. Fe'i canfuwyd mewn
gwaddod yn perthyn i gyfnod 60 miliwn o flynyddoedd
ynghynt, sef yr union gyfnod y diflannodd y Deinosoriaid
a thua 40% o'r holl rywogaethau a drigai ar y Ddaear.
Rhyw ddeng mlynedd yn ddiweddarach, canfuwyd ôl corff
nefol 10 kilometr o led a fu'n teithio ar gyflymdra o 30 kilometr
yr eiliad a drawodd wyneb y Ddaear 60 miliwn o flynyddoedd
yn ôl â grym yn cyfateb i o leiaf 100 mil o fomiau hydrogen.

—— Egwyddor Pareto ——

Economegydd o'r Eidal a ddarganfu fod 80% o gyfoeth y wlad yn eiddo i 20% o'r boblogaeth oedd Pareto (1848-1923). O edrych ar nifer o gyfundrefnau, canfu ef a'r economegwyr a'i dilynodd fod y berthynas hon mor gyson nes troi'n rheol – rheol 80/20, e.e.

- 20% o lyfrau llyfrgell fydd yn cyfrif am 80% o'r llyfrau a fenthycir;
- 20% o'r dillad sydd gennych y byddwch yn eu gwisgo am 80% o'r amser;
- 20% o ymdrech sydd ei angen i gyrraedd 80% o ffitrwydd corfforol;
- 20% o'r cyfan (staff, dosbarth plant, cwsmeriaid ac ati) fydd yn achosi 80% o'r problemau.

Ochr arall y cysonyn yw bod rhaid wrth 80% yn fwy o ymdrech neu adnoddau, i gyrraedd yr 20% sydd yn weddill bob tro.

—— Defaid ——
yn eu Hoed a'u Hamser

blwyddiad	oen neu ddafad dros flwydd ond yn llai na dyflwydd
dafad	wedi bwrw ei hoen cyntaf
gweddr	maharen disbaidd
hesbin	oen benyw hyd yn flwydd oed a heb fagu
hesbwrn	oen gwryw hyd yn flwydd oed
hwrdd	hesbwrn/llwdn wedi cyrraedd ei oed
llwdn dafad	oen gwryw hyd yn flwydd oed
llydnes	oen benyw hyd yn flwydd oed a heb fagu
maharen	hesbwrn/llwdn wedi cyrraedd ei oed
mamog	dafad feichiog
mollt	maharen disbaidd
oen bach	oen sugno
oen hwrdd	hwrdd ifanc

(gyda diolch i *Cydymaith Byd Amaeth*, Gwasg Carreg Gwalch)

—— YR WYDDOR GYMRAEG——

Graffem		Enw
A, a	-	a
B, b	-	bi
C, c	-	ec
CH, ch	-	èch
D, d	-	di
DD, dd	-	èdd
E, e	-	e
F, f	-	f
Ff, ff	-	èff
G, g	-	èg
NG, ng	-	èng
H, h	-	aets
I, i	-	i
L, l	-	èl
LL, ll	-	èll
M, m	-	èm
N, n	-	èn
O, o	-	o
P, p	-	pi
PH, ph	-	ffi
R, r	-	èr
RH, rh	-	rhi
S, s	-	ès
T, t	-	ti
TH, th	-	èth
U, u	-	u bedol
W, w	-	w
Y, y	-	y

—— PWYNTIO BYS ——

Wrth bwyntio bys at rywun arall, cofiwch fod
tri bys yn pwyntio yn ôl atoch chi eich hun.

—— DAMEG Y CREFYDDAU ——

Yr oedd ysgol o athronwyr dall o'r India yn cerdded yn
y goedwig pan drawon nhw yn erbyn eliffant.

* Yr oedd y rhai a deimlodd ei drwnc yn mynnu mai math
  o sarff ydoedd,
* yr oedd y rhai a deimlodd ei goes yn mynnu mai math
  o goeden ydoedd,
* ac yr oedd y rhai a deimlodd ei glust yn mynnu ei fod
  yn fath o ymbarél cysgodol,
  a buont yn anghytuno â'i gilydd hyd at ymladd.

—— LLEUAD NEWYDD ——

Mae'r Lleuad yn cyrraedd yn ôl i'w ffurf wreiddiol
bob 29.5305882 o ddiwrnodau.

—— MOCH ——
YN EU HOED A'U HAMSER

baedd	mochyn gwryw heb ei sbaddu
banhwch	mochyn gwryw heb ei sbaddu
banw	mochyn ifanc
banwesh	hwch heb fagu
cardodwyn	epil hwch (y lleiaf o'r torllwyth)
cynar	hwch wedi dod â moch fwy nag unwaith
gwŷs	hwch fagu
hesbinwch	hwch heb fagu
hwch	mochyn benyw
porchell	epil hwch
tolb	hwch
twrch	mochyn gwryw heb ei sbaddu

(gyda diolch i *Cydymaith Byd Amaeth*, Gwasg Carreg Gwalch)

—— SANTESAU CYMRU ——

Yn ôl y llawysgrifau, roedd gan y Brenin Brychan o Frycheiniog,
sydd ei hunan yn cael ei gyfrif yn sant, liaws o feibion a
merched sanctaidd. Ymhlith ei ferched yr oedd:
Arianwen, Bethan, Cain, Ceingar, Dwyn, Eiliwedd, Goleu,
Gwawr, Gwen, Gwenfyl, Gwerfyl, Gwladus, Hawys, Hunydd,
Lluan, Marchell, Meleri, Morwenna, Tudful, Tudglud, Tybïe.

Roedd lle anrhydeddus yn yr Eglwys Geltaidd i santesau.
Dyma enwau rhai ohonynt:

Cain/Ceinwen (un o chwiorydd Dwynwen). Er mwyn byw bywyd
lleian, dihangodd Ceinwen, neu Cain Wyryf, i Wlad yr Haf
lle y derbyniodd ddarn o dir â phla o nadredd yn rhodd.
Drwy wyrth, troes y nadredd yn gerrig ac ymsefydlodd yn
y lle, sef *Keynsham* (*Cain's ham*) yng Ngwlad yr Haf.

Dwynwen Nawddsantes cariadon y coffeir ei henw yn
Llanddwyn, Ynys Môn.

Eluned Un arall o ferched Brychan. Aberthwyd hi ar fryn ger
Aberhonddu.

Ffraid Yr un santes â Brigid o Iwerddon.

Gwenfrewi Y bererindod i gysegrfan Gwenfrewi yn Nhreffynnon
yw'r unig un sy'n dal mewn bri yng Nghymru heddiw.

Gwennog

Gwladys Gwraig Sant Gwynllyw a mam Sant Cadog.

Ilid Mam Curig. Mae ei henw'n cyfateb i Julitta yn Lladin.

Ina Merch Ceredig, brenin Ceredigion.

Lleucu Roedd Lleucu ymhlith morynion Wrswla.

Melangell Nawddsantes ysgyfarnogod ac anifeiliaid gwyllt.

Non Mam Dewi Sant.

Tathan

Tegfedd A herwgipiwyd gan Cynan.

Tegla

Wrswla Gadawodd Santes Wrswla Brydain a mynd ar bererindod
i Rufain ynghyd â nifer o forynion. Cawsant eu dal a'u
lladd ar y daith. Mae Wrswla yn nawddsantes dwy eglwys
Ewropeaidd, un yng Nghwlên (*Cologne*) yr Almaen a'r llall
yn Llangwyryfon yng Nghymru.

—— CEFFYLAU ——
YN EU HOED A'U HAMSER

caseg	.....	ceffyl benyw wedi'i thorri i mewn
cel	.....	enw anwes ar geffyl
cobyn: coben	.....	ceffyl heb fod dros 14 dyrnfedd (llaw) o uchder
cyw	.....	epil y ceffyl
ebol	.....	epil y ceffyl hyd at dair oed
eboles	.....	ebol benyw
march	.....	ceffyl gwryw yn ei lawn dyfiant heb ei sbaddu
merlyn: merlen	.....	ceffyl heb fod dros 14 dyrnfedd (llaw) o uchder
poni	.....	ceffyl heb fod dros 14 dyrnfedd (llaw) o uchder fel rheol
swclyn	.....	cyw caseg
stalwyn	.....	ceffyl gwryw yn ei lawn dyfiant heb ei sbaddu

(gyda diolch i *Cydymaith Byd Amaeth*, Gwasg Carreg Gwalch)

—— CASGLIADAU O GOED ——
A PHLANHIGION

banadl	*y fanha(d)log*
bedw	*y fedwos, y fedw*
brwyn	*brwynog* neu *brwynos*
derwen	*y dderi*
efwr	*efrog*
eithin	*eithinog*
grug	*grugor* neu *y rugos, y rug*
gwern	*gwernos, y wern*
mawn	*y fawnog*
mieri	*y fierog (y friog)*
tafol	*y dafolog*
ysgall	*ysgallog*
ysgaw	*ysgeifiog*

—— ORIEL PENCAMPWYR ——
CHWARAEON CYMRU

ATHLETAU

Jim Alford

enillydd y Fedal Aur yng Ngêmau'r Gymanwlad yn Sydney 1938 yn y ras 880 llath

Lynn Davies (ganed 1942)

enillydd y Fedal Aur yn y naid hir yng Ngêmau Olympaidd Tokyo yn 1964

John Disley (ganed 1928)

enillydd y Fedal Efydd yn y ras dros ffos a pherth yng Ngêmau Olympaidd 1952

Colin Jackson (ganed 1967)

athletwr a Phencampwr Byd dros y clwydi

Steve Jones (ganed 1955)

enillydd rasys Marathon yn Llundain, Efrog Newydd a Toronto a deilydd y record byd am redeg y Marathon yn 1984

Berwyn Price (ganed 1951)

enillydd Medal Aur yng Ngêmau'r Gymanwlad yn 1978 yn y ras 110 llath dros y clwydi

Tom Richards (ganed 1910)

enillydd Medal Arian yn y Marathon yng Ngêmau Olympaidd 1948

Kirsty Wade (ganed 1961)

y wraig gyntaf i ennill Medal Aur i Gymru ar y trac a hynny yng Ngêmau'r Gymanwlad yn 1978

Nick Whitehead

enillydd Medal Aur yn y Gêmau Olympaidd yn 1960 fel aelod o'r tîm gwibio 100 llath

ATHLETAU'R ANABL

Tanni Grey-Thompson (ganed 1969)

enillydd Medalau Aur mewn rasys Olympaidd i'r rhai sy'n gaeth i gadair olwynion a sefydlydd nifer fawr o recordiau byd

Chris Hallam (ganed 1934)

athletwr anabl a sefydlodd recordiau byd ym meysydd nofio, taflu pwysau, a rasio dros 100 llath a 200 llath

BOWLIO

Janet Ackland (ganed 1938)

enillydd Medal Aur yng Ngêmau Auckland 1988

Mal (Maldwyn Lewis) Evans

y Cymro cyntaf i ennill Pencampwriaeth Bowlio Awyr Agored y Byd yn 1972

John Price (ganed 1960)

Pencampwr Bowlio Dan Do y Byd

CRICED

Johnny Clay (ganed 1898)

y cricedwr cyntaf o Sir Forgannwg i chwarae criced dros Loegr

Tony Lewis (ganed 1938)

capten tîm criced Sir Forgannwg a thîm criced Lloegr

Maurice Turnbull (ganed 1887)

chwaraeodd griced i Loegr, rygbi i Gymru, a bu'n gôl-geidwad i dîm hoci Cymru

CYCHOD RASIO

Jonathan Jones (ganed 1967)

Pencampwr Byd cychod rasio Fformiwla 1, bedair gwaith rhwng 1986 ac 1998

DARTIAU

Ann-Marie Davies

enillydd Pencampwriaeth Meistri'r Byd (i wragedd) 1982

Alan Evans

enillydd cyntaf Pencampwriaeth Meistri'r Byd yn 1965

Leighton Rees (ganed 1940)

y cyntaf o Bencampwyr Dartiau'r Byd yn 1977

GOLFF

Dai Rees (ganed 1913)

capten tîm Prydain a enillodd Gwpan Ryder yn 1957

Vicki Thomas
  enillydd Cystadleuaeth Golff Agored Prydain yn 1990
Ian Woosnam (ganed 1958)
  pencampwr golff proffesiynol

GYMNASTEG

Arthur Whitford
  pencampwr gymnasteg Prydain deg o weithiau yn yr 1920au

HOCI

Anne Ellis
  capten tîm Hoci Olympaidd Prydain
Sheila Morrow
  capten tîm hoci Prydain dair gwaith yn yr 1970au

MARCHOGAETH

Jack Anthony (ganed 1890)
  enillydd y *Grand National* yn 1911, 1915 ac 1920.
David Broome (ganed 1940)
  Pencampwr Byd ac enillydd dwy Fedal Efydd yn y Gêmau
  Olympaidd
Geoff Lewis (ganed 1935)
  yr unig Gymro i ennill y Derby a hynny ar Mill Reef yn 1971
Sir Harry Llewellyn (ganed 1911)
  enillodd Fedal Aur ar gefn Foxhunter i dîm Prydain yng
  Ngêmau Olympaidd Helsinki yn 1952
Richard Meade (ganed 1911)
  enillydd tair Medal Aur mewn pump o Gêmau Olympaidd
  rhwng 1968 ac 1982
Fulke Walwyn (ganed 1910)
  enillydd y Grand National fel joci amatur yn 1936,
  a hyfforddwr ceffylau tra llwyddiannus

MYNYDDA

Syr Charles Evans (ganed 1918)
  un o'r mynyddwyr cyntaf i ddringo Everest

NOFIO

Valerie Davies (Latham)
enillydd dwy Fedal Efydd yn Ngêmau Olympaidd Los
Angeles yn 1932

Paulo Radmilovic (ganed 1886)
enillydd pedair Medal Aur yng Ngêmau Olympaidd 1908,
1912 ac 1920, tair am Polo Dŵr ac un yn aelod o dîm nofio
200 metr dull rhydd

Irene Steer (ganed 1889)
enillydd Medal Aur yn aelod o dîm nofio 100 metr dull
rhydd yng Ngêmau Olympaidd Stockholm yn 1912

Martyn Woodroffe (ganed 1950)
enillydd Medal Arian yng Ngêmau Olympaidd Dinas Mexico
1968 yn y ras dull pilipala dros 200 metr

PAFFIO

Joe Calzaghe (ganed 1972)
Pencampwr Paffio'r Byd Uwch Bwysau Canol

Jim Driscoll (ganed 1881)
'y dihafal Jim Driscoll' enillydd gwregys Lonsdale yn 1911,
ef oedd Pencampwr answyddogol Pwysau Plu y Byd

Tommy Farr (ganed 1914)
ef oedd Pencampwr Pwysau Trwm Prydain gan ymddeol yn
ddiguro yn 1938

Colin Jones (ganed 1959)
Pencampwr Pwysau Welter Prydain, Ewrop a'r Gymanwlad

Johnny Owen (ganed 1956)
paffiwr Pwysau Bantam a gafodd ei ladd mewn gornest am
deitl y Byd

Jack Petersen (ganed 1911)
Pencampwr Pwysau Trwm yr Ymerodraeth Brydeinig

Eddie Thomas (ganed 1925)
Pencampwr Pwysau Welter Prydain, Ewrop a'r Gymanwlad
a hyfforddwr pencampwyr paffio

Freddie Welsh (ganed 1886)
Pencampwr Pwysau Ysgafn y Byd 1914–17

Jimmy Wilde (ganed 1892)

'yr ysbryd â gordd yn ei law' Pencampwr Pwysau Pryf y Byd
1916–1923

Howard Winstone (ganed 1939)

Pencampwr Pwysau Plu'r Byd yn 1968

PÊL-DROED

Ivor Allchurch (ganed 1929)

sgoriwr 23 gôl i Gymru ac aelod o dîm enwog 1958

Ron Burgess

capten tîm Cymru a chwaraeodd i dîm pêl-droed Prydain
yn erbyn gweddill Ewrop yn 1947

John Charles (ganed 1931)

y 'cawr addfwyn' a'r chwaraewr ieuengaf i ennill cap dros
Gymru yn 1950 yn 18 oed

Trevor Ford (ganed 1923)

enillodd 38 o gapiau i Gymru a sgoriwr 23 o goliau i'w wlad

Mark Hughes (ganed 1963)

enillydd cwpanau a medalau gyda Manchester United,
Chelsea a Blackburn. Rheolwr llwyddiannus i dîm pêl-droed
Cymru

Cliff Jones (ganed 1935)

asgellwr mwyaf peryglus ei gyfnod, enillydd Cwpan yr FA
gyda Spurs

Fred Keenor (ganed 1894)

capten tîm buddugol Dinas Caerdydd a enillodd Gwpan
yr FA yn 1927

Billy Meredith (ganed 1874)

bu'n chwarae gyda thimau proffesiynol Manceinion hyd at
ei ben-blwydd yn 50 oed

Ian Rush (ganed 1961)

deil y record am sgorio'r nifer uchaf o goliau dros Gymru
a'r nifer uchaf o goliau yng nghystadleuaeth Cwpan yr FA

John Toshack (ganed 1949)

chwaraewr arbennig a rheolwr timau ar draws y byd

RASIO BEICIAU MODUR

Freddie Williams (ganed 1926)

Pencampwr Rasio'r Byd ddwywaith yn 1950 ac 1953

RYGBI'R CYNGHRAIR

Billy Boston (ganed 1934)

chwaraeodd dros dîm Prydain 31 o weithiau gan sgorio, erbyn diwedd ei yrfa, fwy o geisiau nag unrhyw Brydeiniwr o'i flaen

Jonathan Davies (ganed 1962)

capten ar Gymru yn rygbi'r Undeb a'r Cynghrair

Lewis Jones (ganed 1931)

un o sêr disgleiriaf gêmau'r Undeb a'r Cynghrair dros ei glybiau ac ar lwyfannau rhyngwladol

David Watkins (ganed 1942)

capten ar Gymru yn rygbi'r Undeb a'r Cynghrair

RYGBI'R UNDEB

Gerald Davies (ganed 1945)

un o sêr rygbi'r Undeb

Mervyn Davies (ganed 1946)

capten ar Gymru ac aelod o dimau'r Llewod a drechodd Crysau Duon Seland Newydd yn 1971 a De Affrica yn 1974

Gareth Edwards (ganed 1947)

capten ieuengaf Cymru yn 19 oed ac aelod o dimau'r Llewod a drechodd Crysau Duon Seland Newydd yn 1971 a De Affrica yn 1974

Carwyn James (ganed 1929)

hyfforddwr tîm buddugol y Llewod yn Seland Newydd yn 1971 a thîm Llanelli a gurodd y Crysau Duon yn 1972

Barry John (ganed 1945)

'y brenin' – y maswr a ffurfiodd bartneriaeth enwog gyda'r mewnwr Gareth Edwards

Ken Jones (ganed 1921)

enillydd Medal Arian yn aelod o dîm gwibio Prydain yng Ngêmau Olympaidd 1948 a chwaraewr rygbi rhyngwladol yr 1940au a'r 1950au

Cliff Morgan (ganed 1930)

maswr Cymru a ddaeth yn enwog ar daith y Llewod i Dde
Affrica yn 1955

Gwyn Nicholls (ganed 1874)

y Cymro cyntaf i chwarae dros dîm o Brydain ar daith
i Awstralia yn 1899 a chapten tîm Cymru a drechodd
y Crysau Duon yn 1905

Bleddyn Williams (ganed 1923)

tywysog ymhlith canolwyr a chapten ar dimau Caerdydd
a Chymru a drechodd y Crysau Duon yn 1953

J.P.R. Williams (ganed 1949)

yn ogystal â bod yn gapten tîm rygbi Cymru ac yn aelod o
dimau'r Llewod a drechodd Crysau Duon Seland Newydd
yn 1971 a De Affrica yn 1974, ef oedd pencampwr tennis
iau Wimbledon yn 1966

RHWYFO
- -

Hugh Edwards

enillydd dwy Fedal Aur ar yr un diwrnod yn y rasys rhwyfo
yng Ngêmau Olympaidd Califfornia yn 1932

SEICLO
- -

Nicole Cooke

Pencampwraig Seiclo'r Byd

Jimmy Michael (ganed 1877)

Pencampwr y Byd dros 100 kilometr ar ddiwedd y 19eg
ganrif

SNWCER
- -

Terry Griffiths (ganed 1949)

enillydd Pencampwriaeth y Byd yn 1979

Ray Reardon (ganed 1932)

Pencampwr y Byd chwech o weithiau

Yn seiliedig ar Oriel Enwogion Chwaraeon Cymru,
a Phersonoliaeth Chwaraeon y flwyddyn BBC Cymru

—— Y GYMRAEG ——
AR DDECHRAU'R BYD NEWYDD

Mewn rhai hen destunau cyfeirir at 'Y Gomeraeg' a dyma'r rheswm pam:

Yn ôl y *Beibl*, yr unig bobl i ddianc rhag y dilyw a foddodd y byd oedd Noa a'i dri mab, Cham, Sem a Jaffeth a'u teuluoedd. Mab hynaf Jaffeth oedd Gomer a honna'r hanesydd Theophilus Evans yn ei gyfrol *Drych y Prif Oesoedd*:

'Mae'n ddiogel gennyf i fod hyn yn wirionedd di-amheuol sef y mae uchaf ac union gyff-genedl y **Cymru** ydyw **Gomer**. **Cymero**, o ble y daw ond oddiwrth **Gomero**? **Cymru** ond oddiwrth **Gomeri**?'

Ond mae 'Cymro' yn deillio o'r ddwy elfen 'cym', fel sydd yn 'cymydog' a 'cymdogaeth', a 'bro'. Yn wreiddiol 'Cymry' oedd mwy nag un Cymro a hefyd y man lle'r oedd y Cymry'n byw, nes i William Salesbury wneud camgymeriad a sillafu enw'r wlad ag 'u' a'i droi yn 'Cymru'.

—— ARGYHOEDDI GRŴP O BOBL ——

Fel rheol wrth ichi gyflwyno achos o flaen grŵp o bobl, bydd 20-30% o'ch plaid, bydd 20-30% yn eich erbyn a bydd tua 40% heb fod yn siŵr. Y wers fawr yw na fyddwch, fel rheol, yn llwyddo i newid meddyliau y rheiny sydd yn eich erbyn; felly, anghofiwch amdanynt a chanolbwyntiwch ar y 40% nad ydynt yn siŵr.

—— Y DISGYBLION ——

Simon Pedr ac Andreas ei frawd;
Iago ac Ioan, meibion Sebedeus;
Philip, Bartholomeus, Thomas a Mathew;
Iago fab Alpheus, Simon y Selot a Jwdas Iscariot
a naill ai Thadeus (yn ôl Mathew a Marc)
neu Jwdas fab Iago (yn ôl Luc).

—— BETH NEU PWY ——
OEDD NEU YW:

baich gwas diog .... (ceisio cario) gormod o goflaid
blwyddyn y tair caib ... 1777
blwyddyn y tair sbectol 1888
boddi'r cynhaeaf .... dathlu cwblhau casglu'r cynhaeaf
brethyn cartref .... doniau lleol
canu 'Mochyn Du' .... canu tri phennill + cytgan i ferwi wy
nes bod y melyn yn feddal, pedwar
pennill i'w ferwi'n galed

Y Mochyn Du gan *John Owen*

Holl drigolion bro a bryniau,
  Dewch i wrando hyn o eiriau,
Fe gewch hanes rhyw hen fochyn
  A fu farw yn dra sydyn.

Cytgan

O mor drwm yr ydym ni,
  O mor drwm yr ydym ni,
Y mae yma alar calon
  Ar ôl claddu'r Mochyn Du.

Beth oedd achos ei afiechyd?
  Beth roes derfyn ar ei fywyd?
Ai maidd glas oedd achos ange
  I'r hen Fochyn i fynd adre?

Fe roed mwy o faidd i'r Mochyn
  Nag a allai'i fol ei dderbyn;
Ymhen 'chydig o funude
  Dyna'r Mochyn yn mynd adre.

Rhedodd Deio i Lwyncelyn
  I gael Mati at y Mochyn,
Dwedodd Mati wrtho'n union
  Gall'sai droi ef heibio'n burion.

ac yn y blaen (gw. *Cân Di Bennill*)

Cap Coch	.... llofrudd a gadwai dafarn y New Inn rhwng Merthyr Mawr a Phen-y-bont ar Ogwr. Bu farw'n 90 oed yn 1820.
congrinero	.... tipyn o arwr (*Conquering Hero*)
defaid Dafydd Jôs	.... tonnau gwyn y môr
dewin dŵr	.... un sy'n medru canfod dŵr dan ddaear
Dic Siôn Dafydd	.... Cymro a wadodd ei iaith a throi at y Saesneg
glaw gogor sidan	.... glaw tyner, bendithiol y gwanwyn
gwanas	.... peg hongian, neu le i orffwys
gwin y gwan	.... Guinness
gwynt traed y meirw	.. gwynt y dwyrain (am mai â'r traed at y dwyrain lle cwyd yr haul y gosodir corff yn y bedd)
hadau beics	.... *ball bearings*
hafodydd brithion	.... yr hafodydd gwasgaredig ben mynydd lle y treulid gynt hirddyddiau'r haf
halen y ddaear	.... pobl sy'n cadw'r gwerthoedd gorau (fel y mae halen yn cadw bwyd)
yr Hen Ddihenydd	.... marwolaeth
yr Hen Gorff	.... Methodistiaid Calfinaidd
hen ŷd gwlad	.... hen bobl annwyl cefn gwlad
yr Hwntw Mawr	.... llofrudd (Thomas Edwards a grogwyd yn Nolgellau yn 1813)
iâr ar farwor	.... dychmygwch iâr yn meddwl bod marwor poeth yn fwyd, a'r ffordd y byddai'n cerdded er mwyn peidio â llosgi
iâr ar y glaw	.... yn edrych yn druenus
llaeth mwnci	.... cwrw
maen awyr	.... comed
Mam Cymru	.... Catrin o Ferain (gw. Berain tt.14 a 108)
mawn caru	.... pan âi gwas yn y dyddiau fu i ymweld â'i gariad o forwyn, byddai'n mynd â darn mawr o fawn i wneud yn siŵr fod y tân yn para hyd oriau mân y bore

naw nos olau .... lleuad y cynhaeaf

nyth cwhwrw .... cast a chwaraeai plant hŷn ar blant iau. Honnent eu bod wedi gweld y nyth arbennig yma, ond ar ôl cerdded gryn bellter, canfyddai'r plant iau mai dom ceffyl ffres oedd nyth y gwhwrw.

oes yr arth a'r blaidd .. cyfnod cyn hanes

Y Pêr Ganiedydd .... William Williams Pantycelyn

Plant Alys y Biswail ....Saeson (Merch Hengist arweinydd y Sacsoniaid oedd Alys Rhonwen)

polyn lein a pheg .... dyn tal yng nghwmni dyn byr

rhuglgroen .... cwdyn llawn o fân bethau i wneud sŵn i ddychryn adar (*rattle-bag*)

Sul y Pys .... diwrnod na ddaw

tridiau'r deryn du a dau lygad Ebrill
.... tri diwrnod olaf mis Mawrth a dau ddiwrnod cyntaf Ebrill

wy addod .... wy tsieni a adewid yn y nyth er mwyn denu'r iâr yn ôl yno i ddodwy ei hwyau

y fantell fraith .... cot amryliw Joseff yn y stori amdano yn *Y Beibl*

ystên Sioned .... cymysgedd, amrywiaeth

—— SAFLE CYMDEITHASOL —— NEU FRAINT YR HEN GYMRY

1..... brenin

2..... uchelwr (breyr) sef dinesydd a aned i deulu rhydd

3..... taeog (bilaen, aillt) a oedd yn gaeth i arglwydd

4..... alltud (dyn o waed estron nad oedd ei dylwyth wedi byw yng Nghymru am bedair cenhedlaeth, ond a allai ymhen amser gael ei gydnabod yn daeog

5..... caethion, carcharorion rhyfel yn aml, nad oedd ganddynt unrhyw hawliau.

—— LLOND SILFF ——
O LYFRAU ANHEPGOR

(Nid yw'r rhestr yn cynnwys straeon, nofelau na barddoniaeth beirdd unigol.)

— *Llyfr Hwiangerddi y Dref Wen*, gol. John Gilbert Evans

— *Llyfr Mawr y Plant*, Jennie Thomas a J. O. Williams

— *Drws Dychymyg* (barddoniaeth plant), gol. Elinor Davies

— *Biblotheca Celtica*, Llyfrgell Genedlaethol Cymru

— *Y Beibl*

— *Cân Di Bennill* (caneuon traddodiadol), D. Geraint Lewis

— *Caneuon Ffydd* (Llyfr Emynau)

— *Diwylliant Gweledol Cymru* (tair cyfrol), Peter Lord

— *Diwylliant Gwerin Cymru*, Iorwerth Peate

— *Y Bywgraffiadur Cymreig*, Anrhydeddus Gymdeithas y Cymmrodorion

— *Cydymaith i Lenyddiaeth Cymru*, gol. Meic Stephens

— *Hanes Cymru*, John Davies

— *Geiriadur Prifysgol Cymru* (pedair cyfrol ac atodiad)

— *Gramadeg y Gymraeg*, Peter Wynn Thomas

— *Y Treigladau a'u Cystrawen*, T. J. Morgan

— *Enwau Afonydd a Nentydd Cymru*, R. J. Thomas

— *The Oxford Book of Welsh Verse* (detholiad o bob oes), gol. Thomas Parry

— *Y Mabinogi*, cyfaddasiad newydd Gwyn Thomas

— *Rhestr o Enwau Lleoedd: A Gazetteer of Welsh Place-Names*, gol. Elwyn Davies

— *The Welsh Academy English-Welsh Dictionary*, gol. Bruce Griffiths a Dafydd Glyn Jones

— *A Welsh Classical Dictionary*, gol. P. C. Bartrum

— SUT I REGI A DILORNI —

Os oes angen rhagor o gymorth, ymwelwch ag
www.rhegiadur.com

1. Ebychiadau / Rhegfeydd

Diawl, Cythraul ac Uffern a'r ansoddeiriau sy'n perthyn iddynt,
cythreulig, diawledig ac uffernol, yw'r rhegfeydd cyffredin cryfaf.

Ar f'enaid i	Iesu
Ar f'encos i	Jiawl erioed
Arglwydd Mawr	Jiwedd annwyl (hefyd
Arswyd y byd	Duwedd annwyl)
Asiffeta	Mawredd annwyl
Bobol bach	Myn cebyst i
Brensiach annwyl	Myn diawl i
Caton pawb	Myn Uffarn i
Cer o 'ma	Nefi bliw
Damo	Nefoedd wen
Daro di	Rargian fawr
Drato	Rarswyd
Go drapia	Tewch (da chi)
Go fflamia	Uffarn Dân
Iechydwriaeth	Wel y jiw jiw
Iesgob Dafydd	Yffach gols
Iesgyrn	

2. Dilorni
a. *Cyffredinol*

brych	clapgi (clapian)
bwbach	coc oen (un sy'n niwsans ac yn
cachgi (llwfr)	meddwl ei fod yn rhywun)
caridýms (gwehilion	cwd y mwg (ymffrostgar ond
cymdeithas)	dim sylwedd)
cecryn, cnenci (tynnu cynnen)	cynffonnwr (ymgreiniwr)
ceit (dwl)	cysetlyd (ffyslyd)
ci rhech (ymgreinio)	cythraul brwnt

diawl
ewach
ffilsyn ffalsach (gwenieithwr)
fflechen (llwfrgi)
hen drwyn (*snob*)
mylliwr (gwagsiaradwr)
pwdryn (diogyn)
pwff a drewi dyna i gyd
   (sŵn a dim sylwedd)

rhech mewn pot jam
   (da i ddim)
sgaprwth (garw)
sgrafil (un sy'n bachu
   pethau'n anghyfreithlon)
sinach (dan din)
snichyn (*sneak*)
surbwch (*surly*)

b. Diniweidrwydd neu dwpdra

dim yn llawn llathen
fel oen swci
ffŵl gwirion
hanner call a dwl
hanner pan (yn wreiddiol am
   frethyn heb ei bannu'n iawn)
heb fod i ben draw'r ffwrn
hurtyn

lelo
mewn 'da'r bara ma's 'da'r byns
penci
pen dafad
pen meipen
twmffat
twpsyn dwl

c. Enwau anifeiliaid ac adar
a ddefnyddir i ddilorni rhywun

cadno	gast	mochyn	peunes
ceilioges	hwch	mwlsyn	pioden
cenawes	llo	mwnci	sarff
cranc	llwynog	penbwl	(y)sguthan

ch. Plentyn siawns

babi ffair
cyw gwyllt
cyw tin clawdd

plentyn drwy'r berth
plentyn gordderch
plentyn llwyn a pherth

d. Llanc main gwanllyd

llipryn
llyngeryn

slibryn
striblyn

dd. Llanc mawr (dwl)

bwrlas	hulpyn	llabwst(ryn)
clorwth	iolyn	lembo
crymffast	ionc	llo cors
drelyn	jarff	llo lloc
	lleban	

e. Dyn merchetaidd

cadi-ffan	mihifir-mihafar	pansan

f. Gwragedd annymunol (a mawr)

cangen haf (merch ddidoreth)   hwdwch (anfoesol)
clambrennog (mawr tew)   jaden
cloben   pladres
(ch)walpen   sachabwndi (menyw dew
(ch)wampen   ddiog, anniben)
hen gonen (cwynfanllyd)   slebog
hen grimpan   soga dew

Pennill Bach:

Y rhawnddu, fwngddu, hagar,
Beth wnest ti i'th chwaer, yr afar?
'Run gyrn â'th dad, 'run farf â'th fam,
Pam rhoist hi ar gam yng ngharchar?
*(Evan Thomas i wraig fonheddig Neuadd Llanarth am iddi roi
gafr yr awdur dan glo am bori'n rhy agos i'r plas)*

—— LLIW GWALLT ——
A'I ARWYDDOCÂD

Gwallt du, gofidus
Gwallt gwinau, dawnus
Gwallt melyn, lleuog
Gwallt coch, cynddeiriog

—— LLYSENWAU ——

Rhai o lysenwau pobl cymoedd glo de-ddwyrain Cymru:

John Bachan Budur (tipyn o dderyn)

Wil Bach ddiog

Wil Bara-jam

Ianto Bendi (byddai'n porthi 'bendigedig' yn ystod pregeth)

Wil bron sythu

Ianto Canary

Jimmy Candles (gwêr trwyn!)

Dai ceffyl dime

Glyn Cymoco (Cwm Ogwr)

Rhys Cynron (pysgotwr)

Mrs Price Cysglyd (aeliau trymion)

Twm Siôn Cywir (bu'n canlyn yr un wraig am 30 mlynedd)

Ianto Glatsien

Iesu Grist Bach

Shoni Gwladys (ar ôl ei wraig)

Ianto Hyphen (Evan Rhys-Griffiths)

Jac Iechyd Drwg (wastad yn achwyn)

Twmi Llathed (dyn byr)

Lewsin Llygad Larc

Tomi One Tune (a fu'n cyfeilio i'r pictiwrs di-sain)

Pwyswr Bach (pwyso'r glo)

Roberts Sand y Môr (gwerthai dywod glanhau stepen drws)

Dai Sbaddwr

Sbarcyn Bach yr Uffern

Wil Sgothwr (sgothi celwyddau)

Bob Shifôn (dod o Sir Fôn)

Dai Sosban (o Lanelli)

Frank Swci (hen fenyw o ddyn)

Evans Sêt Fawr (blaenor)

Tommy Teisen Wheel (pice ar y maen)

Wil Troed Ceffyl (collodd ran o'i droed mewn damwain a bu'n
gwisgo esgid arbennig)

Wil Trothwy (pan fyddai'n feddw, dywedai 'once I'm over the
trothwy I'll be all right')

Dic Whipadin (gofalai fod plant ddim yn colli ysgol)

—— RHAI MERCHED ——
A GWRAGEDD ENWOG
AM EU PRYDFERTHWCH

Blodeuwedd Y wraig a gonsuriwyd o flodau'r derw, o flodau
banadl ac o'r erwain; ceir ei hanes yn chwedl *Math fab
Mathonwy* yn *Pedair Cainc y Mabinogi*.

Branwen ferch Llŷr Testun yr ail o *Bedair Cainc y Mabinogi*.

Catrin o Ferain Bu Catrin yn briod bedair gwaith, a thrwy
feibion y priodasau hyn, roedd yn fam ar brif
deuluoedd bonedd y gogledd. Bu farw yn 1591.

Creirwy Merch Ceridwen ac, yn ôl yr hanes, y ferch decaf
yn y byd.

Dyddgu Y ferch ddu ei gwallt y canodd Dafydd ap Gwilym iddi.

Dyfyr Un o dair rhiain ardderchog llys Arthur y bu eu
prydferthwch yn safon i'r beirdd.

Eigr Mam Arthur ac un o wragedd prydferthaf ei hoes.

Enid Un o dair rhiain ardderchog llys Arthur y bu eu
prydferthwch yn safon i'r beirdd.

Fflur Fe'i defnyddiwyd gan y beirdd yn safon o brydferthwch.

Generys Cariad y bardd/tywysog Hywel ab Owain Gwynedd.

Gwenhwyfar Gwraig brydferth ond anffyddlon y Brenin Arthur.

Indeg Un o rianedd llys Arthur a safon o brydferthwch i'r beirdd.

Lleucu Llwyd Gwrthrych marwnad serch gan y bardd
Llywelyn Goch ap Meurig Hen yn y 14eg ganrif.

Morfudd Y wraig benfelen y ceisiodd Dafydd ap Gwilym
ennill ei serch, ond yn ofer.

Nest Merch Rhys ap Tewdwr, brenin olaf Deheubarth
ddechrau'r 12fed ganrif.

Olwen Y ferch y tyfai meillion yn ôl ei throed lle bynnag
y cerddai. Bu raid i Gulhwch gyflawni 42 o anoethau,
neu gampau, er mwyn ennill ei llaw.

Rhiannon Duwies Geltaidd y sonnir amdani yn *Pedair
Cainc y Mabinogi*.

Rhonwen Merch Hengist; hudodd y brenin Gwrtheyrn
â'i phrydferthwch ganol y 5ed ganrif.

Tegau Un o dair rhiain ardderchog llys Arthur y bu eu
prydferthwch yn safon i'r beirdd.

—— TIMAU RYGBI ——

Y BARBARIAID	Gwahoddedigion o dair gwlad Ynys Prydain ac o Iwerddon, ynghyd â rhai gwahoddedigion o wledydd eraill.
Y CRYSAU DUON	Seland Newydd
Y LLEWOD	Tîm wedi'i ddewis o chwaraewyr pedair gwlad Prydain (Yr Alban, Cymru, Iwerddon a Lloegr).
Y PUMAS	Yr Ariannin
Y SPRINGBOKS	De Affrica
Y WALLABIES	Awstralia
Y DREIGIAU	Gwent
Y GLEISION	Caerdydd
Y GWEILCH	Castell-nedd/Abertawe
Y SGARLETS	Llanelli

—— TREFN LLYS ——
Y BRENIN YNG NGHYMRU

Y rhai a eisteddai wrth fwrdd y brenin:

*Y Brenin, Y Canghellor, Y Prif Westai (yn ôl ei fraint), Yr Edling
(etifedd y brenin), Hebogydd, Gof, Barnwr, Offeiriad, Meddyg*

Y rhai na eisteddant wrth fwrdd y brenin:

Gwastrawd   Gostegydd   Heliwr   Penteulu   Bardd

—— Adeiladau Hynafol ——

Mae'n werth mynd i safle *Casglu'r Tlysau* lle y ceir lluniau
trawiadol o lawer o'r rhain a'u hanes: www.tlysau.org.uk
Gweler hefyd gwefan Henebion Cymru: www.coflein.gov.uk

Cestyll y Cymry	Cestyll y Normaniaid	Cestyll y Saeson	Abatai	Hynafiaethau
Cricieth 13eg g.	Llanfair-ym-Muallt 11eg g.	Biwmares Môn 13eg g.	Penmon Môn 13eg g.	Cromlech Brynsiencyn Môn
Dolbadarn Llanberis 12fed g.	Cilgerran 12fed g.	Caernarfon 14eg g.	Tŷ Brodyr Dinbych	Segontiwm Caernarfon OC74
Dolwyddelan Conwy 12fed g.	Hwlffordd 12fed g.	Harlech 13eg g.	Dinas Basing Treffynnon	Caer Caergybi
Ewlo Fflint 13eg g.	Maenorbŷr 12fed g.	Conwy 13eg g.	Glyn y Groes Llangollen	Tre'r Ceiri (Cewri) Llanaelhaearn
Dinas Brân Llangollen	Trefdraeth Penfro	Dinbych 14eg g.	Cymer Llanelltyd	Cromlech Llugwy Llanallgo
Castell y Bere Abergynolwyn		Rhuddlan 13eg g.	Ystrad Fflur Pontrhyd-fendigaid	Cam Bryn-celli-ddu Llanfair Pwllgwyngyll
Dolforwyn Aber-miwl	Dinbych-y-pysgod	Y Waun (*Chirk*) 13eg g.	Cwm-hir Powys	Barclodiad y Gawres Rhosneigr
Aberteifi	Caerfyrddin 12fed g.	Fflint 13eg g.	Ynys Bŷr Penfro	Carnedd Capel Garmon Llanrwst
Dryslwyn	Talacharn 12fed g.	Penarlâg 13eg g.	Llandudoch Penfro	Croes Maen Achwyfan Whitford
Dinefwr	Ystumllwynarth 13eg g.	Rhuthun 13eg g.	Cadeirlan Tyddewi	Muriau'r Gwyddelod Harlech

Cestyll y Normaniaid	Cestyll y Saeson	Abatai	Hynafiaethau
Aberhonddu (*Castle Hotel*)	Aberystwyth 13eg g.	Talyllychau	Capel Gofan Sant Bosherston
Coity 12fed g.	Trefaldwyn 13eg g.	Mynachlog Nedd	Cromlech Pentre Ifan Trefdraeth
Ogwr 12fed g.	Powis Trallwng 13eg g.	Priordy Ewenni	Aur Rhufeinig Dolau Cothi
Pen-y-bont	Caeriw 14eg g.	Priordy Llanddewi Nant Hodni	Siambr Gladdu Parc le Breos Abertawe
Castell-nedd 12fed g.	Cydweli 14eg g.	Abaty Tyndyrn	Caer Rufeinig Aberhonddu
Y Fenni 12fed g.	Carreg Cennen 14eg g.		Siambr Gladdu Tinkinswood Caerdydd
Caldicot 12fed g.	Llansteffan 13eg g.		Abaty Margam
Cas-gwent 11eg g.	Caerffili 13eg g.		Caer ac Amffitheatr Caerleon
Crucywel 12fed g.	Ynysgynwraidd (*Skenfrith*) Mynwy 13eg g.		Olion Crannog (preswylfa gyn-hanes yng nghanol llyn) Llan-gors

—— GWLAD A THREF ——

Hen raniadau Cymru:

4 erw = tyddyn

4 tyddyn = gafael

4 gafael = rhandir

4 rhandir = tref

4 tref = maenol

12 maenol + 2 dref = cwmwd

100 tref = cantref

—— YSBAIL A THROSEDD ——

Abad Glyn y Groes
Bu'n gweithredu fel lleidr pen-ffordd ganol yr 16eg ganrif.

Barti Ddu
Bartholomew Roberts, môr-leidr o sir Benfro a ddilynodd
Hywel Dafydd yn gapten ar griw o fôr-ladron tuag 1720.
Cafodd ei ladd gerllaw Cape Lopez yn 1722.

Beca
Enw ar grwpiau o ddynion a ddechreuodd chwalu tollbyrth yn
siroedd Caerfyrddin a Phenfro. Gwisgent ddillad gwragedd a'u
galw eu hunain yn 'Ferched Beca'. Roedd Shoni Sgubor Fawr
yn ymladdwr ac yn feddwyn a garcharwyd ac a yrrwyd i
Tasmania am ei ran yn Helyntion Beca.

Cap Coch
Dyn a gadwai dafarn yn sir Forgannwg yn y 18fed ganrif. Wedi
iddo farw canfuwyd cyrff nifer o bobl a lofruddiwyd ganddo yn
adfeilion ei dafarn a'r tir o'i gwmpas.

Coch Bach y Bala 1854–1913
Lleidr a oedd yn enwog am ei allu i ddianc o garchar.

Crigyll Ynys Môn
Man â thraddodiad o ddryllio llongau yn gysylltiedig ag ef,
yr un fath â Dwnrhefn yn Ne Cymru (gweler isod).

Dic Penderyn (Richard Lewis)
Crogwyd ef am ei ran yn nherfysgoedd Merthyr 1831.

Dwnrhefn
Roedd traddodiad o ddryllio llongau yn gysylltiedig â hwn
yr un fath â Chrigyll, Ynys Môn.

Ruth Ellis
Fe'i ganed ym Mae Colwyn a hi oedd y wraig olaf i gael
ei chrogi ym Mhrydain (fis Gorffennaf 1955), a hynny am
lofruddio'i chariad.

Julian Cayo Evans

Cyn-filwr a dderbyniodd ei addysg yn Ysgol Fonedd Millfield. Daeth yn enwog fel arweinydd *Byddin Cymru Rydd* yn y cyfnod y bu protestio yn erbyn yr Arwisgo (1969); fe'i carcharwyd ef a rhai o'i ddilynwyr am 15 mis.

Timothy Evans

Crogwyd ef ar gam yn 1950 yn gosb am lofruddio ei wraig a'i ferch. John Christie oedd y gwir lofrudd.

Gwenallt

Y bardd a'r ysgolhaig a garcharwyd yn Wormwood Scrubs a Dartmoor am fod yn wrthwynebydd cydwybodol yn ystod y Rhyfel Byd Cyntaf.

Gwylliaid Cochion Mawddwy

Cylch o ddynion ar herw yn yr 16eg ganrif oedd y Gwylliaid. Dilynwyr i Owain ap Cadwgan a gipiodd Nest a'i gŵr Gerald Windsor o Gastell Cilgerran oeddynt yn wreiddiol. Bu'r rhain a'u disgynyddion yn byw ar herw wedi hynny yng nghyffiniau Mawddwy a Chwm Dugoed ac y mae cylch o hanesion am eu drwgweithredoedd ac am eu crogi ar orchymyn y Barnwr Lewis Owen.

Syr Herbert Lloyd

Sgweier Ffynnon Bedr ger Llanbedr Pont Steffan ydoedd, ac ystyrid ef yn ymgorfforiad o ddrygioni. Fe'i saethodd ei hun mewn gardd clwb gamblo yn Llundain yn 1769.

Martha'r Mynydd

Roedd yn byw yn Llanllyfni ger Caernarfon yn y 18fed ganrif. Fe argyhoeddodd y bobl leol fod teulu o 'anweledigion' yn pregethu ger ei bwthyn gefn trymedd nos, ac fe fyddai casgliad yn cael ei godi yn ystod yr oedfaon hyn. Nid oes dim amheuaeth nad Martha a'i thad a oedd yn pregethu, ond credai'r bobl leol yn yr 'anweledigion'.

Meibion Glyndŵr

Dyma'r enw a roddwyd ar y bobl anhysbys a fu'n gyfrifol am losgi tai haf yng Nghymru gan ddechrau yn 1979.

Merthyron Abergele

Dau aelod o MAC *(Mudiad Amddiffyn Cymru)* oedd William
Alwyn Jones a George Francis Taylor a laddwyd pan ffrwydrodd
defnyddiau a oedd yn eu meddiant ddiwrnod Arwisgo Tywysog
Cymru, 1 Gorffennaf 1969.

Syr Harry Morgan

Brodor o Lanrymni yng Ngwent a fu'n forwr ac yn gaethwas
yn Barbados cyn dianc ac ymuno â chriw o fôr-ladron. Fe'i
comisiynwyd i ymosod ar longau Sbaen. Ymosododd yn greulon
ar Portobello ac yna Panama. Yn wobr cafodd ei ddyrchafu'n
farchog ac yn llywodraethwr Jamaica.

Murray the Hump

Llewellyn Morris Humphreys oedd Murray the Hump. Bu'n
ddirprwy i Al Capone a chymerodd le hwnnw pan garcharwyd
Capone am beidio â thalu'i drethi.

Niclas y Glais

Y bardd a'r Comiwnydd a garcharwyd ar gam am ddau fis yng
Ngharchar Abertawe yn ystod yr Ail Ryfel Byd.

Plant Mat

Criw o ysbeilwyr a gysylltir â Thregaron.

Siôn Cwilt

Un o smyglwyr Cei Newydd a oedd yn byw ar y tir uchel
rhwng Synod Inn a Chapel Cynon yn y 18fed ganrif. Cafodd ei
enw ar gownt ei got liwgar.

Tri Penyberth

Saunders Lewis, Lewis Valentine a D. J. Williams a losgodd rai
cytiau ar dir gorsaf awyr ym Mhenyberth yn Llŷn, ac yna
mynd yn syth at yr heddlu i gyfaddef. Methwyd â chytuno ar
ddedfryd yn yr achos llys yng Nghymru, a symudwyd yr achos
i'r Old Bailey yn Llundain, 9 Ionawr 1937, lle y dedfrydwyd y
tri i naw mis o garchar.

Twm Siôn Cati

Arwr chwedlonol yn dwyn eiddo pobl gyfoethog i helpu'r

tlodion, ond dywedir bod y traddodiad yn seiliedig ar anturiaethau'r Thomas Jones ifanc o Dregaron a oedd yn byw ddiwedd yr 16eg ganrif.

Y Fantell Wen
Yn y 18fed ganrif, argyhoeddodd Mary Evans ei chydnabod ei bod wedi dyweddïo â Iesu Grist, gan arwain mintai i'w phriodas yn Eglwys Ffestiniog. Derbyniodd nifer mawr o anrhegion priodas.

Yr Hwntw Mawr
Thomas Edwards, llofrudd a grogwyd yn Nolgellau yn 1813.

Ysbyty Ifan
Sefydlwyd hwn yn y 12fed ganrif gan Farchogion y Deml, a bu am gyfnod y tu allan i drefn cyfraith ac yn noddfa i ladron a gwylliaid, cyn cael ei ddifodi yng nghyfnod y Tuduriaid.

—— Y LLWYTHAU A DRIGAI —— AR DIR CYMRU PAN GYRHAEDDODD Y RHUFEINIAID

Deceangliaid (Tegeingl/Fflint)
Demetiaid (Dyfed)
Fenedotiaid (Gwynedd)
Ordoficiaid (Powys)
Silwriaid (Gwent, Brycheiniog, Morgannwg)

—— CYFNODAU'R CREIGIAU ——

(yn seiliedig ar enwau ar Gymru a'i llwythau)

Creigiau cyn-Gambraidd	4,600–570	miliwn o flynyddoedd oed			
Creigiau Cambraidd	570–500	"	"	"	"
Creigiau Ordofigaidd	400–440	"	"	"	"
Creigiau Silwraidd	440–395	"	"	"	"

—— BACHGEN A MERCH ——

bachan	
boi	bodan
cochyn	cochen
còg	
cotsyn	cotsen
creadur	creadures
crwt/crwtyn	croten/crotes
cyfaill	cyfeilles
cythraul	cythreules
cyw	cywen
	geneth
gw-boi	gw-girl
gweithiwr	gweithreg
gwidman	gwidw
	hoeden
hogyn	hogan/hogen
hwrgi	hwren
	lefren
	lodes/los
llafn/llefnyn	llafnes
llanc	llances
	pisyn
pwdryn	pwdren
rhocyn	rhoces
sboner	wejen
sbrigyn	
	slashen
strab	haden

—— ENILLWYR Y RHUBAN GLAS ——

1943 ~
Megan Thomas *(S)*
Nancy Bateman *(S)*
Sally Lloyd Parry *(C)*
Tabitha Hughes *(MS)*
Violet Samuel *(C)*
Ivor Lewis *(B)*
R. A. Pryce *(B)*
Tom Jones *(B)*
1950 ~
Arthur O. Thomas *(Bn)*
Eluned Jones-Thomas *(S)*
Richard Rees *(B)*
Richie Thomas *(T)*
Lynne Richards *(C)*
Richard Rees *(B)*
Eric Mortimore *(B)*
Elwyn Jones *(Bn)*
Harding Jenkins *(Bn)*
Stuart Burrows *(T)*
1960 ~
Peggy Williams *(C)*
Evan Lloyd *(B)*
Maldwyn Parry *(Bn)*
Margaret Lewis-Jones *(S)*
Peggy Williams *(C)*
Robert Roberts *(T)*
Cellan Jones *(Bn)*
William Jones *(B)*
Enid Wynne Thomas *(C)*
Robert Roberts *(T)*
1970 ~
David Jones *(T)*
William Jones *(B)*
Alma Evans *(S)*
Iwan Davies *(T)*
Angela Rogers Davies *(C)*

Beryl Jones *(C)*
Berwyn Davies *(B)*
David Cullen *(Bn)*
Marian Roberts *(S)*
Hugh Ifor Hughes *(Bn)*
1980 ~
T. J. Davies *(B)*
Gwion Thomas *(Bn)*
Eirwen Hughes *(S)*
Glenys Roberts *(S)*
Maldwyn Parry *(B)*
Ann Davies *(MS)*
Tom Evans, Gwanas *(Bn)*
Alun Vaughan Jones *(B)*
David Lloyd *(Bn)*
Lavinia Thomas *(C)*
1990 ~
Meinir Jones-Williams *(MS)*
Iwan Parry *(Bn)*
Anthony Stuart Lloyd *(B)*
Washington James *(T)*
Delyth Hopkins Evans *(S)*
Shân Cothi (Morgan) *(S)*
Rhys Meirion (Jones) *(T)*
Aled Edwards *(Bn)*
Iona Stephen Williams *(C)*
John Eifion (Jonès) *(T)*
2000 ~
Iona Jones *(S)*
Siân Meinir Lewis *(C)*
Tom Evans, Gwanas *(B/Bn)*
Richard Allen *(T)*
Martin Lloyd *(B)*
Euron Gwyn Jones *(Bn)*

B=Bas; Bn=Bariton; B/Bn=Bas/Bariton;
C=Contralto; MS=Mezzo Soprano;
S=Soprano; T=Tenor

—— A Daeth i Ben Deithio Byd ——

Ein Cyndadau

Canwn fawl, yn awr, i wŷr o fri,
ie, i'n cyndadau, a'n cenhedlodd ni. *Ecclesiasticus*, pennod 44

Anatiomaros

A chlywid olaf cri yn dyrchafu
Fry i'r nefoedd uwch gwenfro Wernyfed –
'Anatiomaros, aeth at y meirwon!' T. GWYNN JONES

Yr Arglwydd Rhys

Yn y flwyddyn honno (1197), y pedwerydd dydd o Galan Mai,
y bu farw Rhys fab Gryffudd, tywysawg y Deheubarth ac
anorchfygedig ben holl Gymru. *Brut y Tywysogyon*

Branwen ferch Llŷr

'A Fab Duw,' meddai hi, 'gwae imi erioed gael fy ngeni.
Difethwyd daioni dwy ynys o'm hachos i.' Ac fe wnaed bedd
petryal iddi, ac fe'i claddwyd hi yno yng nglan Alaw.
                    Pedair Cainc y Mabinogi

Y Coed

Mae'r coed yn marw ym Margam,
mae'r coed yn y Gilfach yn glaf. RHYDWEN WILLIAMS

Cynddylan (9fed ganrif)

Ystafell Gynddylan ys tywyll heno,
Heb dân, heb wely;
Wylaf wers, tawaf wedy. *Canu Heledd*

Elin (1757)

Mae cystudd rhy brudd i'm bron – hyd f'wyneb
        Rhed afonydd heilltion;
    Collais Elin liw hinon,
    Fy ngeneth oleubleth hon. GORONWY OWEN

Esyllt

 Amdo wen fel madonna – yn storom
   Y distawrwydd eitha',
  Ar ei bron cenhadon ha',
  A'i grudd oer fel gardd eira. DIC JONES

Gail (diwedd yr 20fed ganrif)
Mor ddi-ystyr fu ei mynd a'i dyfod. NESTA WYN JONES

Y Gododdin (6ed ganrif)
Gwŷr a aeth Gatraeth oedd ffraeth eu llu
Glasfedd eu hancwyn, a gwenwyn fu,
Trichant trwy beiriant yn catäu
Ag wedi elwch, tawelwch fu. ANEIRIN
ancwyn = tâl; *peiriant* = gorchymyn; *catäu* = mynd i'r gad;
elwch = rhialtwch

Gruffudd Hiraethog (1564)
Y bardd bach uwch beirdd y byd. WILIAM LLŶN

Hedd Wyn (1917)

 Gadael gwaith a gadael gwŷdd – gadael ffridd,
   Gadael ffrwd y mynydd;
  Gadael dôl a gadael dydd,
  A gadael gwyrddion goedydd. R. WILLIAMS PARRY

Lleucu Llwyd (*c*.1380)
Lleucu dlos, lliw cawod luwch,
Pridd a main, glain galarchwerw
A gudd ei deurudd, a derw. LLYWELYN GOCH AP MEURIG HEN

Llywelyn ap Gruffudd (1282)
Ac yna y daeth Rhosier Mortimer a Gruffydd ap Gwenwynwyn,
a llu y brenin ganddynt, yn ddirybudd, am ben Llywelyn ap
Gruffudd a'i ladd a llawer o'i lu Ddygwyl Damaseus Bab, yr
unfed dydd ar ddeg o fis Rhagfyr, ddydd Gwener. Ac yna y
bwriwyd holl Gymru i'r llawr. *Brenhinedd y Saesson*

Madog (12fed ganrif)
Yna, cyfododd y Mynach ei law, a'i lef tua'r nefoedd,
Arwydd y Grog a dorrodd, a'i lais a dawelai ofn;
Rhonciodd y llong, a rhyw wancus egni'n ei sugno a'i llyncu,
Trystiodd y tonnau trosti, bwlch ni ddangosai lle bu.
T. GWYNN JONES

Mam
Bu fyw'n dda, bu fyw'n ddiwyd
A lle bu hon mae gwell byd. RHYS NICHOLAS

Mam Wen (gofal y bardd amdani yn ei gwaeledd olaf)
Arhosaf yma
i warchod y porthladd
a disgwyl y dychwelyd prin
i'r glannau hen
y glannau ysbeidiol, bregus
sy'n aros
o gyfandir dyfal y gofal gynt. JOHN RODERICK REES

Merch (*c.*1460)
Os marw hon yn Is Conwy
Ni ddyly Mai ddeilio mwy. DAFYDD NANMOR

Merch Robert ab Gwilym Ddu (*c.*1800)
Angau arfog, miniog mawr,
Ar ei gadfarch ergydfawr, . . .
Torrodd i lawr drwy fawr feth
Ein diddig unig eneth,
A mynnodd hwnt o'n mynwes
Enaid a llygaid ein lles . . .

Siân Stradling (*c.*1500)
Nid cur, nid dolur, ond dialedd;
Nid dydd dydd o'i dwyn
Nid gwin gwin – gwenwyn.

Siôn y Glyn (mab bychan y bardd – *c.*1460)
Fy mab, fy muarth baban,
Fy mron, fy nghalon, fy nghân. LEWIS GLYN COTHI

Tom Nefyn (1958)
Ac o'i bregethau i gyd
Y fwyaf oedd ei fywyd. WILLIAM MORRIS

Tydfor Jones (1983)
Oet wàg mawr, oet gymeriad
Oet wres y tŷ, oet dristâd,
Oet ddyn y grefft, oet ddawn gre',
Oet y galon, oet Gilie. DIC JONES

Victor Jara (1973)
Yn Santiago yn saith-deg-tri
Canodd ei gân drwy'r oriau du,
Torrwyd ei ddwylo i atal y gân,
Ond daliodd i ganu, a'i enaid ar dân,
Yn Santiago yn saith-deg-tri. DAFYDD IWAN

William Phylip (1670)
    Ffarwel goed, glasgoed glwysgerdd – mân adar,
        Mwyn odiaeth gywirgerdd;
      Ffarwel bob llwyn cadwyngerdd,
        Y llwybrau i gyd lle bu'r gerdd. *Ffarwel i Hendre Fechan*

—— EISTEDDFOD ——
YR ARGLWYDD RHYS 1176

Y Nadolig yn y flwyddyn honno y cynhelodd yr Arglwydd
Rhys ap Gruffudd lys ardderchog yn Aberteifi yn y castell,
ac y gosododd ddau fath o ymryson yno, un rhwng beirdd a
phrydyddion, un arall rhwng telynorion, crythorion a
phibyddion ac amryfal genhedloedd cerdd. Ac ef a berodd
osod dwy gadair i'r gorchfygwyr . . .

            Brut y Tywysogyon, Llawysgrif Peniarth 20

—— DYFYNIADAU ——

A alle Ddiawl ei hun ddoedyd yn amgenach?   *Morris Kyffin*

A ddarlleno, ystyried;
A ystyrio, cofied;
A gofio, gwnaed;
A wnêl, parhaed.   *Ellis Wynne*

Amser yn unig a farn lenyddiaeth.   *Saunders Lewis*

Arglwyddi, frodyr a chwiorydd, byddwch lawen a chedwch
eich ffydd a'ch cred, a gwnewch y pethau bychain a
glywsoch ac a welsoch gennyf fi.   *O Fuchedd Dewi*

Awen, ac nid gallu dealltwriaethol . . .
sy'n cadw llyfrau'n fyw.   *Emrys ap Iwan*

Bachan bidir yw Dai.   *J. J. Williams*

Barddoniaeth yw'r hyn a all fod yn wir,
Hanes ydyw'r hyn sydd wir ac
Ynfydrwydd yw yr hyn na all fod yn wir.

Beth ydwyt ti a minnau, frawd,
Ond swp o esgyrn mewn gwisg o gnawd?   *T. H. Parry-Williams*

Beth yw byw? Cael neuadd fawr
Rhwng cyfyng furiau.   *Waldo Williams*

Cadwn y mur rhag y bwystfil, cadwn y ffynnon rhag y baw.
    Waldo Williams

Cawsom wlad i'w chadw,
darn o dir yn dyst
ein bod wedi mynnu byw.   *Gerallt Lloyd Owen*

Cudd fy meiau rhag y werin.   *William Williams Pantycelyn*

Daw dydd y bydd mawr y rhai bychain,
Daw dydd ni bydd mwy y rhai mawr.   *Waldo Williams*

Diau, pe gwelem y diwedd, dychryn y dechrau a giliai.
                                        T. Gwynn Jones

Digwyddodd, darfu megis seren wib.   *R. Williams Parry*

   Does dim rhaid i'r doeth a'r deallus
   Ddarllen y Llyfr hwn.   *Waldo Williams*

Dos i mewn i'r stafell ddirgel, yr hon yw goleuni Duw ynot ti.
                                        Morgan Llwyd

        Er gwaetha pawb a phopeth
        Rŷn ni yma o hyd.   *Dafydd Iwan*

          Eu Nêr a folant
          Eu hiaith a gadwant
          Eu tir a gollant
              Ond gwyllt Walia.

   Fel llif mewn afon, ac fel gwynt ar draeth,
   Dydd arall o derm fy einioes treiglo wnaeth;
   Am ddau o ddyddiau ni ofidiaf fi,
   Am ddydd i ddyfod, ac am ddydd a aeth.
                                        John Morris-Jones

      Fel y rhed yr haul i'r hwyr,
      Fel y treulia'r gannwyll gŵyr,
      Fel y syrthia'r rhosyn gwyn,
      Fel y diffydd tarth ar lyn
       . . . Felly syrthiwn bob yn un.   *Y Ficer Prichard*

     Gorwedd llwch holl saint yr oesoedd
     A'r merthyron yn dy gôl.   *Gwenallt*

Gwaed y groes sy'n codi i fyny
'Reiddil yn goncwerwr mawr. *William Williams Pantycelyn*

Gwae inni wybod y geiriau heb adnabod y Gair
A gwerthu ein henaid am doffi a chonffeti ffair.   *Gwenallt*

Gwell yw anelu at rywbeth a'i fethu nag anelu at ddim a'i daro.

Gwinllan a roddwyd i'm gofal yw Cymru fy ngwlad.
Saunders Lewis

Y lle bûm yn gware gynt
Mae dynion na'm hadwaenynt;
Cyfaill neu ddau a'm cofiant.
Prin ddau, lle'r oedd gynnau gant.   *Goronwy Owen*

Gwnewch i chwi gyfeillion o lyfrau, fel pan eloch yn hen y
bo gennych rywrai i'ch derbyn pan fo llawer yn eich gwrthod.
Emrys ap Iwan

Mae hiraeth yn y môr a'r mynydd maith,
Mae hiraeth mewn distawrwydd ac mewn cân. *R. Williams Parry*

Mae'n gwybod pris popeth
Heb wybod gwerth dim.   *Sarnicol*

Mae 'nhaid nawr yn mynd yn hen,
Ddoe'n graig a heddiw'n gragen.   *Dic Jones*

Mae'r geiriau yn galw ar ei gilydd. *(Ateb un o feibion y Cilie,
pan ofynnwyd iddo gan T. Llew Jones sut oedd o'n gweithio englyn)*

Mae'r oll yn gysegredig, mae barddoniaeth
Nefolaidd ar yr holl fynyddoedd hyn.   *Islwyn*

Minnau yn awr, galwaf ar fy nghyfeillion . . .
Deuwch ataf i'r adwy,
Sefwch gyda mi yn y bwlch   *Saunders Lewis*

Nes na'r hanesydd at y gwir di-goll
Ydyw'r dramodydd, sydd yn gelwydd oll. *R. Williams Parry*

Nid cardod i ddyn – ond gwaith!
Mae dyn yn rhy fawr i gardod.　　*Elfed*

Nid oes un gŵr yn ŵr perffaith, oni bydd ynddo
rai o ragoriaethau'r wraig.　　*Emrys ap Iwan*

Nid ydynt hardd, fy ffrind, i chwi,
ein hen addoldai mawr, di-ri,
ond hwy a'n gwnaeth.　　*T. Rowland Hughes*

Ni wnawn, wrth ffoi am byth o'n ffwdan ffôl,
Ond llithro i'r llonyddwch mawr yn ôl.　*T. H. Parry-Williams*

'Nôl blino'n treiglo pob tref
Teg edrych tuag adref.　　*Llawdden*

O fannau Epynt i fannau Llŷn
Mynnwn gael siarad ein hiaith ein hun.　*Eifion Wyn*

Ond wrth ymyrraeth â chwi oll ac un
Mi gefais gip ar f'anian i fy hun.　*T. H. Parry-Williams*

Os cregyn gwag fydd yn y sach,
Cregyn ddaw allan, bobl bach.

Os lleddir y Gymraeg, fe'i lleddir yn nhŷ ei chyfeillion.
Emrys ap Iwan

Pabell unnos yw pob llawenydd.　　*Dic Jones*

Pan elo dyn mawr i gors, y mae'n naturiol iddo
suddo'n is na'r cyffredin.　　*Emrys ap Iwan*

Pe buasai'r Wyddfa i gyd yn gaws,
Buasai'n haws cael enllyn;
A Moel Eilian yn fara gwyn
A Llyn y Cŵn yn gwrw melyn.

Pererin wyf mewn anial dir
Yn crwydro yma a thraw.　　*William Williams Pantycelyn*

Rwy'n caru pob erw o hen Gymru wen.   *Crwys*

Tra bo dynoliaeth fe fydd amaethu.   *Dic Jones*

Tybed fy mod i, O Fi fy Hun,
Yn myned yn iau wrth fyned yn hŷn.   *T. H. Parry-Williams*

Wylit, wylit, Lywelyn,
Wylit waed pe gwelit hyn.   *Gerallt Lloyd Owen*

Y ddraig goch a ddyry cychwyn.

Y gân sy'n ein gwahanu.   *Dic Jones (amdano ef a'i fab)*

Y mae pawb bron am fyw yn hir, ond neb am fyned yn hen.

Y plentyn i'r dyn sy'n dad.   *Elfed*

Ychydig wridog win a llyfr o gân,
A thorth wrth raid, a thithau eneth lân
Yn eistedd yn yr anial gyda mi –
Gwell yw na holl frenhiniaeth y Swltân.   *John Morris-Jones*

Yn eu harch,
Parch;
Yn eu hoes,
Croes.   *Sarnicol*

Ynom mae y sêr
A phob barddoniaeth.   *Islwyn*

—— Y WELSH NOT ——

Gydag imi ddweud fy Nghymraeg cryf,
chwarddodd pawb a rhoddwyd llinyn am
fy ngwddf a thocyn pren trwm wrtho . . .
Blynyddoedd chwerw oedd dyddiau ysgol i mi.

O. M. Edwards
yn Clych Atgof

CYFNODAU'R GYMRAEG

Cymraeg Cynnar   *Canol y 6ed ganrif hyd ddiwedd yr 8fed ganrif*

Hen Gymraeg   *Dechrau'r 9fed ganrif hyd ddiwedd yr 11eg ganrif*

Cymraeg Canol   *Y 12fed ganrif hyd y 14eg ganrif*

Cymraeg Modern   *Y 15fed ganrif hyd heddiw*

TAITH Y PORTHMON OLAF
(TUA 1930)

Dafydd Isaac, Tan-y-fron, Trefenter, Ceredigion oedd y drofer olaf. Gan ddechrau ym mis Ebrill: ar ddydd Sadwrn am hanner dydd, ar Bont ar Ddyfi, Machynlleth, byddai 200 a rhagor o ddefaid yn ei ddisgwyl

1   Eu gyrru i Landre (Bow Street).

2   Nid oedd teithio ar y Sul yn gymeradwy.

3   Dydd Llun – 'Black Lion' Llanbadarn (Aberystwyth) ac yna ymlaen i Garth Fawr, Lledrod erbyn nos Lun. Yno byddai 300 arall o ddefaid a phorthmon arall a'i gi yn ymuno â 200–300 Dafydd.

4   Dydd Mawrth i Dregaron erbyn cinio ac i Ddiffwys erbyn yr hwyr, golchi traed y cŵn mewn dŵr a halen.

5   Dydd Mercher, dros y mynydd-dir agored lle'r oedd defaid eraill yn pori, croesi afonydd Tywi, Camddwr ac Irfon, heibio i Abergwesyn a chyrraedd Llangamarch yn yr hwyr.

6   Dydd Iau, heibio i Gilmeri, dros Fynydd Epynt i Aberhonddu erbyn y nos.

7   Dydd Gwener, diwrnod y gwerthu.

8   Dydd Sadwrn, dal y trên deng munud i saith o Aberhonddu a chyrraedd Machynlleth erbyn 11.00 y bore, lle y byddai 200 o ddefaid yn ei ddisgwyl.

—— DAMHEGION ——

Er mwyn ceisio deall y byd a'i le ef ynddo, mae dyn ar hyd yr oesoedd wedi ceisio creu modelau yn cynnwys cymaint ag a wyddai ar y pryd. Mae Gwyddonwyr ar y cyfan yn tueddu i ddefnyddio Mathemateg ac mae Athronwyr a Chrefyddwyr yn tueddu i ddefnyddio geiriau.

PARADWYS GOLL

Un o'r darluniau cynharaf yw hwnnw o ddyn wedi'i osod mewn byd delfrydol, sef gardd ir. Fodd bynnag, oherwydd ei amharodrwydd i ufuddhau, caiff ei daflu allan o'r ardd i dir gwyllt y byd yr ydym ni'n ei adnabod.

SŴN UN LLAW YN CURO
Myfyrdod Zen

YR OGOF

Mae dyn wedi'i gadwyno yn ei unfan yn wynebu wal foel ogof. Mae tân mawr y tu ôl iddo a rhyngddo a'r tân mae llawer iawn o bethau'n digwydd, ond y cyfan a wêl y dyn yw cysgodion y digwyddiadau hyn ar wal yr ogof. Dyma sut y gwnaeth Plato ddarlunio'r berthynas rhwng yr hyn yr ydym yn ei weld yn y byd, a'r gwirionedd. Mae'n ddarlun sy'n arbennig o addas mae'n debyg ar gyfer Mathemateg.

Y LLYS BARN

Dyma'r darlun o Dduw yn farnwr, a dynion yn rhai sydd wedi torri'r gyfraith yn ymddangos ger ei fron i dderbyn eu cosb. O'r darlun yma ceir y syniad o gyfamod (cytundeb), Dydd y Farn, a thalu iawn (am ddrwgweithred).

Y MAB AFRADLON

Un o ddau fab sy'n mynnu cael ei ran ef o'i etifeddiaeth ac yn gwario'r cyfan ar 'win a mwg a merched drwg'. Wedi colli'r cyfan mae'n edifarhau ac yn dychwelyd at ei dad a'i frawd ac yn gofyn am faddeuant. Mae ei dad yn ei groesawu yn ôl yn llawen, ond nid felly ei frawd.

YR YSBYTY

Y syniad fod cymdeithas fel dyn claf yn dioddef o ddrwg a fydd yn ei ladd oni cheir gwared â'r drwg. Y syniad o lawfeddyg yn trychu'r darn drwg – fel y gwnaethpwyd â'r Iddewon, y Sipsiwn, a'r hiliau gwan yn Almaen y Natsïaid.

Y WATS

Y syniad fod y bydysawd yn ddarn o beirianwaith rhyfeddol o gymhleth, fel wats sydd wedi cael ei darganfod gan rywun nad yw'n gwybod dim am fesur amser. O'i astudio yn ddigon manwl a thrylwyr, efallai y daw rhywun i ddeall rhywbeth am natur amser ac, yn y darlun arbennig hwn, am yr un a greodd y wats.

FAINT GALLWN NI EI WYBOD?

Roedd darlithydd yn egluro i fyfyrwyr natur yr ymennydd a'i allu i drin gwybodaeth. O'i flaen roedd jar wydr fawr a gofynnodd i un o'r myfyrwyr roi cerrig yn y jar, nes y byddai pob un yn cytuno ei bod yn llawn. Yna gofynnodd i fyfyriwr arall ychwanegu graean at y jar lawn nes y byddai pawb yn cytuno eto fod y jar yn llawn. Wedyn gofynnodd i fyfyriwr arall ychwanegu tywod nes bod pawb yn gytûn fod y jar yn llawn, ac yna fe arllwysodd ddŵr i mewn i'r jar i ddangos bod yna le ar ôl ynddi o hyd.

—— TREF ——

1   Yn wreiddiol, ystyr tref oedd fferm fawr mewn man lle'r oedd y coed wedi'u clirio.

2   Yna daeth i olygu'r lle yr oedd y pennaeth yn byw a'r tir o'i gwmpas.

maerdref	oedd y rhan o'r dref lle y ceid y swyddog oedd yn gyfrifol am y cnydau.
melindref	oedd y rhan o'r dref lle'r oedd y felin.
pentref	oedd y lle y byddai'r caethion yn byw.
hendref	oedd cartref yr anifeiliaid yn ystod y gaeaf, rhagor na'r hafod lle y treulient yr haf.

— YR WYDDOR OGAM —

a = ·	f = ╞	l = ╞	s = ╞	Oi = ⊖
b = ╎	g = ╪	m = ┼	t = ╡	Ia = η
c = ╡	ng = ╪	n = ╟	u = ⋮	Ui = φ
d = ╡	h = ┤	o = :	w = ╞	Ae = ⊞
e = ⋮	i = ⋮	r = ╪	Ea = ×	

— O BA LE Y MAENT YN DOD? —

Gog	... gair y De am rywun o'r Gogledd
Hwntw	... gair y Gogledd am ddyn o'r De
Yr Abby Jacs	... pobl Abertawe
Cardi	... un o Sir Aberteifi
Cofi	... brodor o dref Caernarfon
Gwŷr y Blaene	... pobl pen uchaf Gwent a Morgannwg
Gwŷr y Fro	... pobl o Fro Morgannwg
Gwŷr y Gloran	... pobl pen uchaf Cwm Rhondda
Gwŷr y Mera	... pobl Castell-nedd
Hen Shirgâr	... un o Sir Gaerfyrddin
Monwysyn	... brodor o Sir Fôn
Shoni	... dyn o'r cymoedd glo
Sosban	... dyn o Lanelli

—— ARWYDDEIRIAU ——

Bwrdeistref Sirol Blaenau Gwent ....
Undeb a Rhyddid

.... **Canolfan y Mileniwm**
Creu Gwir Fel Gwydr o Ffwrnais Awen
In These Stones Horizons Sing

Catrawd Frenhinol Cymru ....
Gwell Angau na Chywilydd

.... **Cyngor Sir Ceredigion**
Golud Gwlad Rhyddid

Coleg Harlech ....
A fo ben bid bont

.... **Eisteddfod Gydwladol Llangollen**
Byd gwyn fydd byd a gano
Gwaraidd fydd ei gerddi fo.

Eisteddfod Powys ....
A laddo a leddir

.... **Ffermwyr Ifainc Cymru**
Gwell Ffermwyr, Gwell Gwladwyr, Gwell Dinasyddion

Gorsedd Beirdd Ynys Prydain ....
Y Gwir yn erbyn y Byd

..............................**Y Gwarchodlu Cymreig**
Cymru am Byth

Llyfrgell Genedlaethol Cymru ....
Braint Pob Gwybodaeth

.... **Bwrdeistref Sirol Nedd Port Talbot**
Llwyddo Drwy Ymdrech

Prifysgol Cymru ....
Gorau Awen Gwirionedd

.... **Prifysgol Cymru Aberystwyth**
Nid Byd Byd heb Wybodaeth

Prifysgol Cymru Bangor ....
Gorau Dawn Deall

.... **Prifysgol Cymru Caerdydd**
Gwirionedd, Undod a Chytgord

Prifysgol Cymru Llanbedr Pont Steffan ....
Gorau Duw yw Gorau Dysg

.... **Urdd Gobaith Cymru**
Byddaf yn ffyddlon i Gymru, i'm cyd-ddyn ac i Grist

—— ORIEL YR ANFARWOLION ——
(AMGEN)

Y Bardd Cocos

John Evans (1827–88). Gwerthwr cocos o Borthaethwy, Môn a ysgrifennai benillion gan aberthu ystyr ar allor odl. Cymaint oedd doniolwch anfwriadol ei benillion, fe'i hurddwyd yn 'Archfardd Cocysaidd Tywysogol'; eto erys diddordeb yn y penillion athrylithgar ddiniwed hyn. Yr enwocaf efallai yw hwnnw i Lewod Pont Britannia dros afon Menai:

> Pedwar llew tew
> Heb ddim blew
> Dau 'rochor yma
> A dau 'rochor drew.

> Four lions fat
> Lying on their flat
> Two'r ochor yma
> And two'r ochor that.

Cranogwen

Sarah Jane Rees (1839–1916) o Langrannog. Athrawes a fu'n dysgu gwersi morwriaeth a fynychid gan forwyr; pregethwraig, bardd, llenor, a sylfaenydd 'Undeb Dirwestol Merched y De'.

Dic Aberdaron

Richard Robert Jones (1780–1843). Ganed ef mewn tyddyn ger Aberdaron. Roedd yn un a oedd yn medru dysgu ieithoedd yn rhwydd. Y disgrifiad a geir ohono yw bod ganddo gnwd o wallt hir a barf drwchus, cap o groen ysgyfarnog, siôl am ei ysgwyddau â brodwaith yn Hebraeg a Groeg arni. Gwisgai nifer o gotiau â llyfrau yn eu pocedi. Cariai gorn a thelyn fechan a dau bâr o sbectol y gellid amrywio'r pellter rhwng y gwydrau.

Dyma'r ieithoedd a feistrolwyd gan Dic:
Cymraeg, Saesneg, Hebraeg, Ffrangeg, Foideg, Sbaeneg, Piedmonteg, Ethiopeg, Gwyddeleg, Almaeneg, Syrieg, Georgeg, Rwsieg y Gogledd, Rwsieg y De, Caldeg, Purieg, Armenieg,

Arabeg, Copteg, Hen Roeg, Groeg Newydd, Abanichieg, Portiwgaleg, Perseg, Is-Almaeneg, Eiddeg, Breteg, Is-Almaeneg-Holeg, Swedeg, Manaweg, Gaeleg yr Alban, Tsieinëeg, Lladin, Daneg a Gaeleg.

Egerton Grenville Bagot Phillimore (1856–1937)

Sais a ddysgodd y Gymraeg ac a ddaeth yn hyddysg yn hanes cynnar Cymru. Credid ar un cyfnod iddo gyhoeddi casgliad o bornograffi Cymraeg.

Gwenynen Gwent

Augusta Waddington Hall, Arglwyddes Llanofer (1802–1896). Er nad oedd yn siarad Cymraeg yn rhugl, bu'n frwdfrydig dros ddiwylliant gwerin a threfnodd ei chartref yn Llys Llanofer yn ôl ei dehongliad hi o'r traddodiadau hyn. Hi a gynlluniodd y wisg a ystyrir yn wisg Gymreig (â'r het simnai), a hybai gerddoriaeth a dawnsio gwerin a chasglu hen lawysgrifau.

John Harries, Cwrtycadno

Dyn Hysbys, a fu farw yn 1839, y byddai pobl yn tyrru ato am gyngor pe bai dyn neu anifail ar goll, pe bai rhywun yn dioddef o epilepsi neu wallgofrwydd, neu pe bai gwaed rhywun wedi torri. Enillodd gymwysterau llawfeddyg yn Llundain a Pharis. Meddai ar y ddawn i rag-weld marwolaeth, gan gynnwys ei farwolaeth ei hun. Bu farw o ganlyniad i aros yn ei wely er mwyn ceisio osgoi'r farwolaeth anarferol honno – ond marw bu raid.

Marged fwyn ach Ifan: Margiad uch Ifan

Bu farw yn 1785 yn 96 oed. Medrai lunio telyn a chrwth a'u chwarae, byddai'n ymaflyd codwm â dynion hanner ei hoedran a'u curo, daliai fwy o lwynogod mewn blwyddyn nag y gwnâi eraill mewn deg.

Iolo Morganwg

Edward Williams (1747–1826). Saer maen wrth ei alwedigaeth ond bardd ac athrylith o ysgolhaig a ddefnyddiodd ei wybodaeth arbenigol i adfer (drwy ei greadigaethau ei hun i raddau helaeth) hen ogoniant ei sir. Sicrhaodd ar yr un pryd barhad y ddysg dderwyddol a chyfrinachau barddas drwy gynnull Gorsedd Beirdd Ynys Prydain. Unwyd yr Orsedd â gweithgareddau'r Eisteddfod yn Eisteddfod Genedlaethol Caerfyrddin yn 1819.

Lewis Morris (1701–65)

Yr hynaf o dri brawd a adwaenir fel 'Morrisiaid Môn'. Roedd yn fardd, yn fapiwr, yn dirfesurydd ac yn gasglwr a dehonglwr hynafiaethau ei wlad. Symudodd i Geredigion i ofalu am hawliau'r Goron yn y mwynfeydd plwm, a mawr bu'r helynt rhyngddo ef a'r uchelwyr lleol, a Lewis yn treulio ychydig amser yng ngharchar Aberteifi. Dyn tal, tew, lysti, tywyll ei bryd ond a fu'n cwyno'n barhaus am ei asthma, ei gowt a'r pruddglwyf; un balch, sgornllyd ac ymffrostgar.

Myfyr Morganwg

Evan Davies, Myfyr Morganwg, a lyncodd holl hanesion Iolo Morganwg am y derwyddon ac a wnaeth y 'Maen Chwyf', sef y garreg siglo ar y Comin uwchben Pontypridd, yn ganolfan i orsedd dderwyddol gan gyhoeddi mai ef oedd Archdderwydd Ynys Prydain ac yn olynydd i Iolo Morganwg. Ef oedd ceidwad y 'Corwgl Gwydrin' (*mystic egg*) a wisgai am ei wddf. Treuliodd weddill ei oes yn ymchwilio i gyfrinion a dirgelion crefyddau'r dwyrain er mwyn creu cysylltiad rhwng derwyddiaeth a thwf Cristnogaeth.

Bob Owen, Croesor

Robert Owen (1885–1962). Gwas fferm a ddaeth yn arbenigwr ar achyddiaeth ac ar gasglu hen lyfrau a dogfennau ac, yn bennaf, awdurdod ar hen deuluoedd Cymru. Roedd ei gartref yn llawn hyd yr ymylon o bapurau, llawysgrifau a llyfrau. Bu'n ddarlithydd hynod boblogaidd ac wedi iddo farw ffurfiwyd Cymdeithas o lyfrgarwyr yn ei enw.

Dr Price, Llantrisant

William Price (1800–93). Meddyg wrth ei alwedigaeth ond a feddyliai amdano ei hun yn archdderwydd. Gwisgai'n rhyfedd mewn siwt werdd, gwasgod sgarled, ac â chroen cadno am ei ben. Cefnogodd y Siartwyr ac, yn dilyn terfysgoedd Casnewydd, bu raid iddo ddianc i Ffrainc am gyfnod. Heriai gonfensiynau'r dydd, gan fynnu llosgi corff marw ei fab bach, Iesu Grist. Yn 83 oed cymerodd ferch ifanc yn gydymaith iddo (nid oedd yn credu mewn priodas) a ganed iddynt Iesu Grist yr Ail a merch, Penelope.

William Owen Pughe (1759–1835)

Roedd yn gyfoeswr â Iolo Morganwg a chanddo yntau hefyd wybodaeth eang a thrwyadl o'r hen destunau Cymraeg gan gynnwys y rheiny yr oedd Iolo wedi'u creu o'i ben a'i bastwn ei hun. Ond ei waith mwyaf oedd ei *Geiriadur Cymraeg a Saesneg* lle y bu'n ceisio dangos cyfoeth y Gymraeg, a hynny, yn anffodus, ar seiliau ffug megis *Coelbren y Beirdd* Iolo Morganwg eto. Er nad oedd croeso cynnes i'w syniadau mympwyol i ddechrau, cymerodd gryn ymdrech, gan Syr John Morris-Jones yn bennaf, i ddarbwyllo ysgrifenwyr Cymraeg dechrau'r 20fed ganrif nad oedd sylfaen yn hen destunau'r Gymraeg i honiadau William Owen Pughe.

Evan Roberts (1878–1951)

Efengylydd ac arweinydd Diwygiad 1904–05. Ac yntau'n löwr ifanc yn astudio am y weinidogaeth, cafodd brofiad crefyddol dwys ym Mlaenannerch yn 1904. Ymledodd y diwygiad drwy Gymru benbaladr, ond torrodd iechyd Evan Roberts. Bu beirniadaeth ei fod yn pwyso gormod ar ochr emosiynol y profiad, ond does dim dwywaith i'r Diwygiad newid bywydau miloedd o bobl.

—— WYTHNOS GYMRAEG ——

echdoe	....	echnos
ddoe	....	neithiwr
heddiw	....	heno
yfory/trannoeth	.... nos yfory	
trennydd		
tradwy		

—— Y Beirdd ——

Sonnir am dri math o fardd yn y Cyfreithiau Cymraeg:

Pencerdd

Pennaeth ar ei grefft boed farddoniaeth neu gerddoriaeth,
pennaeth Urdd y Beirdd ac yn gyfrifol am addysg
cywion beirdd. Rhoddwyd yr un gwerth ar ei
fywyd ag ar fywyd y brenin a'r esgob.

Bardd Teulu

Un o bedwar swyddog ar hugain y llys a ganai fawl ac ar
gais y Penteulu a ganai i ysbrydoli ymladdwyr y brenin.

Cerddor

Tri rhyw gerddor sydd, clerwr, teuluwr a phrydydd.
Swydd clerwr oedd dychanu, anghlodfori a diddanu.
Swydd teuluwr oedd difyrru, a cheisio nawdd heb ymbil amdano.
Swydd prydydd oedd clodfori ac ymwrthod â gwatwar a dychan.

Tri pheth sy'n cryfhau cerdd:
dyfnder ystyr, rhywiogrwydd ei Chymraeg
a godidowgrwydd y dychymyg.

—— Hen Gŵn y Cymry ——

bugeilgi	*unrhyw gi a ddefnyddid i drin preiddiau*
bytheiad	*ci hela, yn enwedig ci hela llwynog*
corgi	*ci llathen / ci sodlo am mai cŵn hydiog, isel eu corff, yn medru cnoi sodlau gwartheg neu geffylau ydynt.*
costog	*sef ci gwarchod neu mastiff*
gafaelgi	*ci tarw*
gellgi	*ci melyn ei liw (staghound)*
llechgi	*croesiad rhwng ci defaid a milgi*
milgi	*ci llai ei faint na'r llechgi a'i got o flew llyfn*

—— Y Pedwar Mesur ar Hugain ——

Er mwyn ymuno ag Urdd y Beirdd, roedd yn rhaid i ymgeisydd brofi ei feistrolaeth ar iaith, hanes, y gynghanedd ac ar y Mesurau Caeth sef y *Pedwar Mesur ar Hugain* sy'n cynnwys gwahanol ffurfiau ar yr englyn, y cywydd a'r awdl. Nid oedd hyn yn golygu ei bod yn rhaid iddo ddefnyddio pob un o'r mesurau, ond bod ganddo'r feistrolaeth dechnegol angenrheidiol i ymaelodi ag Urdd y Beirdd a chael ei dalu am ei grefft. Dyma ddosbarthiad Syr John Morris-Jones yn ei gyfrol *Cerdd Dafod*:

Englynion	Cywyddau	Awdlau
Englyn penfyr	*Awdl gywydd*	*Rhupunt (hir)*
Englyn milwr	*Cywydd Deuair Hirion*	*Cyhydedd Fer*
Englyn Unodl Union	*Cywydd Deuair Fyrion*	*Byr-a-thoddaid*
Englyn Unodl Crwca	*Cywydd Llosgyrnog*	*Clogyrnach*
Englyn Cyrch		*Cyhydedd Naw Ban*
Englyn Proest dalgron		*Cyhydedd Hir*
Englyn Lleddfbroest		*Toddaid*
Englyn Proest		*Gwawdodyn*
gadwynog		*Gwawdodyn Hir*
		Hir-a-thoddaid
		Cyrch-a-chwta
		Tawddgyrch Cadwynog

—— Bwyd Iach (hen gyngor) ——

Iachaf cig anifail gwyllt yw cig iwrch

◦

Iachaf cig anifail dof yw cig twrch

◦

Iachaf cig aderyn gwyllt yw cig petris

◦

Iachaf cig aderyn dof yw cig iâr

◦

Iachaf pysgod môr yw lleden

◦

Iachaf pysgod dŵr croyw yw draenogiaid (*perch*), a brithyllod

—— Yr Eisteddfod ——
Genedlaethol

www.eisteddfod.org.uk/

www.international-eisteddfod.co.uk/

www.urdd.org/eisteddfodau/CMC2005/index.html

Lleoliadau ac enillwyr cadair a choron er 1900

Dyddiad	Lleoliad	Y Gadair	Y Goron
1900	Lerpwl	'Y Bugail' John Owen Williams (Pedrog)	'Williams Pantycelyn' J. T. Job
1901	Merthyr Tudful	'Y Diwygiwr' Evans Rees (Dyfed)	'Tywysog Tangnefedd' John Jenkins (Gwili)
1902	Bangor	'Ymadawiad Arthur' T. Gwynn Jones	'Trystan ac Esyllt' Robert Roberts (Silyn)
1903	Llanelli	'Y Celt' J. T. Job	'Y Ficer Prichard' J. E. Davies (Rhuddwawr)
1904	Y Rhyl	'Geraint ac Enid' J. Machreth Rees (Machreth)	'Tom Ellis' R. Machno Humphreys (Machno)
1905	Aberpennar	'Gorau Arf, dysg' Neb yn deilwng	'Ann Griffiths, yr emynyddes' T. Mafonwy Davies (Mafonwy)
1906	Caernarfon	'Y Lloer' J. J. Williams	'Branwen Ferch Llŷr' H. Emyr Davies (Emyr)
1907	Abertawe	'John Bunyan' Thomas Davies (Bethel)	'Y Greal Sanctaidd' John Dyfnallt Owen (Dyfnallt)
1908	Llangollen	'Ceiriog' J. J. Williams	'Owain Glyndŵr' H. Emyr Davies (Emyr)
1909	Llundain	'Gwlad y Bryniau' T. Gwynn Jones	'Yr Arglwydd Rhys' W. J. Gruffydd
1910	Bae Colwyn	'Yr Haf' R. Williams Parry	'Ednyfed Fychan' W. Crwys Williams (Crwys)

1911	Caerfyrddin	'Iorwerth y Seithfed'	'Gwerin Cymru'
		William Roberts	W. Crwys Williams
		(Gwilym Ceiriog)	(Crwys)
1912	Wrecsam	'Y Mynydd'	'Gerallt Gymro'
		T. H. Parry-Williams	T. H. Parry-Williams
1913	Y Fenni	'Aelwyd y Cymro'	'Ieuan Gwynedd'
		T. J. Thomas (Sarnicol)	William Evans (Wil Ifan)
1914	Ni chynhaliwyd eisteddfod oherwydd y Rhyfel Byd Cyntaf		
1915	Bangor	'Eryri'	'Y Ddinas'
		T. H. Parry-Williams	T. H. Parry-Williams
1916	Aberystwyth	'Ystrad Fflur'	Ni chynigiwyd coron
		J. Ellis Williams	
1917	Birkenhead	'Yr Arwr'	'Pwyll Pendefig Dyfed'
	(Eisteddfod y	Ellis Evans	William Evans
	Gadair Ddu)	(Hedd Wyn)	(Wil Ifan)
1918	Castell-nedd	'Eu Nêr a folant'	'Mynachlog Nedd'
		J. T. Job	D. Emrys Lewis
1919	Corwen	'Y Proffwyd'	'Morgan Llwyd'
		D. Cledlyn Davies	W. Crwys Williams (Crwys)
1920	Y Barri	'Yr Oes Aur'	'Trannoeth y Drin'
		Neb yn deilwng	James Evans
1921	Caernarfon	'Min y Môr'	'Mab y Bwthyn'
		Robert John Rowlands	Albert Evans-Jones
		(Meuryn)	(Cynan)
1922	Rhydaman	'Y Gaeaf'	'Y Tannau Coll'
		J. Lloyd Jones	Robert Beynon
1923	Yr Wyddgrug	'Dychweliad Arthur'	'Yr Ynys Unig'
		D. Cledlyn Davies	Albert Evans-Jones
		(Cledlyn)	(Cynan)
1924	Pontypŵl	'I'r Duw nid adwaenir'	'Atgof'
		Albert Evans-Jones	E. Prosser Rhys
		(Cynan)	
1925	Pwllheli	'Cantre'r Gwaelod'	'Bro fy Mebyd'
		Dewi Morgan	William Evans (Wil Ifan)
1926	Abertawe	'Y Mynach'	'Rhigymau'r Ffordd Fawr'
		David James Jones	David Emrys James
		(Gwenallt)	(Dewi Emrys)

1927	Caergybi	'Y Derwydd'	'Y Briodas'
		Neb yn deilwng	Caradog Prichard
1928	Treorci	'Y Sant'	'Penyd'
		Neb yn deilwng	Caradog Prichard
1929	Lerpwl	'Dafydd ap Gwilym'	'Y Gân ni chanwyd'
		David Emrys James	Caradog Prichard
		(Dewi Emrys)	
1930	Llanelli	'Y Galilead'	'Ben Bowen'
		David Emrys James	William Jones
		(Dewi Emrys)	(Gwilym Myrddin)
1931	Bangor	'Breuddwyd y Bardd'	'Y Dyrfa'
		David James Jones	Albert Evans-Jones
		(Gwenallt)	(Cynan)
1932	Aberafan	'Mam'	'A ddioddefws a orfu'
		D. J. Davies (Capel Als)	T. Eirug Davies
1933	Wrecsam	'Harlech'	'Rownd yr Horn'
		Edgar Phillips (Tre-fin)	Simon B. Jones
1934	Castell-nedd	'Ogof Arthur'	'Y Gorwel'
		William Morris	T. Eirug Davies
1935	Caernarfon	'Magdalen'	'Ynys Enlli'
		E. Gwyndaf Evans	Gwilym R. Jones
1936	Abergwaun	'Tŷ Ddewi'	'Yr Anialwch'
		Simon B. Jones	David Jones
1937	Machynlleth	'Y Ffin'	'Y Pentref'
		T. Rowland Hughes	J. M. Edwards
1938	Caerdydd	'Rwy'n edrych dros	'Peniel'
		y bryniau pell'	E. H. Thomas,
		Gwilym R. Jones	(Awena Rhun)
1939	Dinbych	'A hi yn dyddhau'	'Terfysgoedd y Ddaear'
		(Neb yn deilwng)	(Neb yn deilwng)
1940	Aberpennar	'Pererinion'	'Agored'
	(Radio)	T. Rowland Hughes	Neb yn deilwng
1941	Hen Golwyn	'Hydref', Rowland Jones	'Peiriannau'
		(Rolant o Fôn)	J. M. Edwards
1942	Aberteifi	'Rhyfel' neu 'Creiddylad'	'Ebargofiant'
		Neb yn deilwng	Herman Jones
1943	Bangor	'Cymylau Amser'	'Rhosydd Moab'
		David Emrys James	Dafydd Owen
		(Dewi Emrys)	

1944	Llandybïe	'Ofn' D. Lloyd Jenkins	'Yr Aradr' J. M. Edwards
1945	Rhos	'Yr Oes Aur'	'Bara' neu 'Coed Celyddon'
		Tom Parri Jones	Neb yn deilwng
1946	Aberpennar	'Awdl foliant i'r	'Yr Arloeswr'
		Amaethwr'	Rhydwen Williams
		Geraint Bowen	
1947	Bae Colwyn	'Maelgwn Gwynedd'	'Glyn y Groes'
		John Tudor Jones	G. J. Roberts
		(John Eilian)	
1948	Pen-y-bont	'Yr Alltud'	'O'r Dwyrain'
	ar Ogwr	David Emrys James	Euros Bowen
		(Dewi Emrys)	
1949	Dolgellau	'Y Graig' Rowland Jones	'Meirionnydd' John
		(Rolant o Fôn)	Tudor Jones (John Eilian)
1950	Caerffili	'Awdl Foliant i'r Glöwr'	'Difodiant'
		Gwilym R. Tilsley	Euros Bowen
1951	Llanrwst	'Y Dyffryn'	'Adfeilion'
		Brinley Richards	T. Glynne Davies
1952	Aberystwyth	'Dwylo'	'Y Creadur' neu 'Unrhyw
		John Evans	Chwedl Gymreig'
			Neb yn deilwng
1953	Y Rhyl	'Y Ffordd'	'Y Llen'
		E. Llwyd Williams	Dilys Cadwaladr
1954	Ystradgynlais	'Yr Argae'	'Y Bannau'
		John Evans	E. Llwyd Williams
1955	Pwllheli	'Gwrtheyrn'	'Ffenestri'
		G. Ceri Jones	W. J. Gruffydd (Elerydd)
1956	Aberdâr	'Gwraig'	'Drama Fydryddol'
		Mathonwy Hughes	Neb yn deilwng
1957	Llangefni	'Cwm Carnedd'	'Rhwng Dau'
		Gwilym R. Tilsley	Dyfnallt Morgan
1958	Glyn Ebwy	'Caerllion ar Wysg'	'Cymod'
		T. Llew Jones	Llewelyn Jones
1959	Caernarfon	'Y Dringwr'	'Cadwynau'
		T. Llew Jones	Tom Huws
1960	Caerdydd	'Dydd Barn' neu	'Unigedd'
		'Morgannwg'	W. J. Gruffydd
		Neb yn deilwng	(Elerydd)

1961	Rhosllannerch-rugog	'Awdl Foliant i Gymru' Emrys Edwards	'Ffoadur' L. Haydn Lewis
1962	Llanelli	'Llef un yn llefain' Caradog Prichard	'Y Cwmwl' D. Emlyn Lewis
1963	Llandudno a'r cylch	'Genesis' Neb yn deilwng	'Y Bont' Tom Parri Jones
1964	Abertawe a'r cylch	'Patagonia' R. Bryn Williams	'Ffynhonnau' Rhydwen Williams
1965	Maldwyn (Y Drenewydd)	'Yr Ymchwil' W. D. Williams	'Y Gwybed' Tom Parri Jones
1966	Aberafan a'r cylch	'Cynhaeaf' Dic Jones	'Y Clawdd' Dafydd Jones, Ffair-rhos
1967	Y Bala	'Y Gwyddonydd' Emrys Roberts	'Corlannau' Eluned Phillips
1968	Y Barri a'r fro	'Awdl Foliant i'r Morwr' R. Bryn Williams	'Meini' L. Haydn Lewis
1969	Y Fflint	'Yr Alwad' James Nicholas	'I gwestiynau fy mab' Dafydd Rowlands
1970	Rhydaman a'r cylch	'Y Twrch Trwyth' Tommy Evans, Tegryn	'Darluniau ar Gynfas' Bryan Martin Davies
1971	Bangor a'r cylch	'Y Chwarelwr' Emrys Roberts	'Y Golau Caeth' Bryan Martin Davies
1972	Sir Benfro (Hwlffordd)	'Preselau' Dafydd Owen	'Dadeni' Dafydd Rowlands
1973	Dyffryn Clwyd (Rhuthun)	'Llef dros y Lleiafrifoedd' Alan Llwyd	'Y Dref' Alan Llwyd
1974	Bro Myrddin (Caerfyrddin)	'Y Dewin' Moses Glyn Jones	'Tân' W. R. P. George
1975	Bro Dwyfor (Cricieth)	'Afon' Gerallt Lloyd Owen	'Pridd' Elwyn Roberts
1976	Aberteifi a'r cylch	'Gwanwyn' Alan Llwyd	'Troeon Bywyd' Alan Llwyd
1977	Wrecsam a'r cylch	'Llygredd' Donald Evans	'Hil' Donald Evans
1978	Caerdydd	'Y Ddinas' Neb yn deilwng	'Profiadau Llencyndod' Siôn Eirian
1979	Caernarfon a'r cylch	'Gwynedd' Neb yn deilwng	'Dilyniant o gerddi serch' neu 'siom' Meirion Evans

1980	Dyffryn Lliw	'Y Ffwrnais'	'Lleisiau'
		Donald Evans	Donald Evans
1981	Maldwyn	'Y Frwydr'	'Wynebau'
	a'r cyffiniau	John Gwilym Jones	Siôn Aled
	(Machynlleth)		
1982	Abertawe	'Cilmeri'	'Y Rhod'
	a'r cylch	Gerallt Lloyd Owen	Eirwyn George
1983	Ynys Môn	'Ynys'	'Clymau'
	(Llangefni)	Einion Evans	Eluned Phillips
1984	Llanbedr Pont	'Ymddiddan y pen	'Llygaid'
	Steffan a'r fro	a'r galon ynghylch	John Roderick Rees
		"y petheu bychein"'	
		Aled Rhys Wiliam	
1985	Y Rhyl a'r	'Cynefin'	'Glannau'
	cyffiniau	Robat Powel	John Roderick Rees
1986	Abergwaun	'Y Cwmwl'	'Llwch'
	a'r fro	Gwynn ap Gwilym	T. James Jones
1987	Bro Madog	'Llanw a Thrai'	'Breuddwydion'
	(Porthmadog)	Ieuan Wyn	John Gruffydd Jones
1988	Casnewydd	'Storm' Elwyn Edwards	'Ffin' T. James Jones
1989	Dyffryn Conwy	'Y Daith'	'Arwyr'
	a'r cyffiniau	Idris Reynolds	Selwyn Griffith
1990	Cwm Rhymni	'Gwythiennau'	'Gwreichion'
		Myrddin ap Dafydd	Iwan Llwyd
1991	Bro Delyn	'Awdl Foliant Merch	'Pelydrau'
		ein Hamserau'	Einir Jones
		Robin Llwyd ap Owain	
1992	Ceredigion	'A Fo Ben . . .'	'Cyfannu'
	(Aberystwyth)	Idris Reynolds	Cyril Jones
1993	De Powys	'Gwawr'	'Llynnoedd'
	(Llanelwedd)	Meirion MacIntyre Huws	Eirwyn George
1994	Nedd a'r	'Chwyldro'	'Dolenni'
	cyffiniau	Emyr Lewis	Gerwyn Wiliams
1995	Bro Colwyn	'Y Môr	'Melodïau'
		Tudur Dylan Jones	Aled Gwyn
1996	Bro Dinefwr	'Grisiau'	'Olwynion'
		R. O. Williams	David John Pritchard
1997	Meirion a'r	'Gwaddol'	'Branwen'
	cyffiniau	Ceri Wyn Jones	Cen Williams

1998	Bro Ogwr	'Fflamau'	'Rhyddid'
		Neb yn deilwng	Emyr Lewis
1999	Môn	'Pontydd'	'Golau yn y Gwyll'
		Gwenallt Llwyd Ifan	Ifor ap Glyn
2000	Llanelli a'r cylch	'Rhyddid' Llion Jones	'Tywod' Dylan Iorwerth
2001	Sir Ddinbych	'Dadeni'	'Muriau' Penri Roberts
	a'r cyffiniau	Mererid Hopwood	
2002	Sir Benfro	'Llwybrau'	'Awelon'
	(Tyddewi)	Myrddin ap Dafydd	Aled Jones Williams
2003	Maldwyn a'r	'Drysau'	'Gwreiddiau'
	Gororau	Twm Morys	Mererid Hopwood
2004	Casnewydd	'Tir Neb'	'Egni'
	a'r cylch	Huw Meirion Edwards	Jason Walford Davies
2005	Eryri a'r cylch	'Gorwelion'	'Llinellau Lliw'
		Tudur Dylan Jones	Christine James

—— ENWAU LLEOEDD ——
AC AFONYDD CYMRU RUFEINIG

Lleoedd	Enw Lladin	Afonydd	Enw Lladin
Aberhonddu	Cicutio	Ewenni	Aventio
Brynbuga	Burrium	Glaslyn	Tisobis
Caerfyrddin	Maridinum	Gwy	Vaga
Caerhun	Conovium	Hafren	Sabrina
Caerleon	Isca Silurum	Llwchwr	Levca
Caernarfon	Segontium	Tywi	Tuvius
Caersŵs	Mediomanum	Wysg	Isca
Caer-went	Venta Silurum	Ystwyth	Estucia
Casllwchwr	Leucarum		
Castell-nedd	Nidum		
Dolau Cothi	Luentinium		
Ffordun	Lavobrinta		
Holt	Bovium		
Llanelwy	Varae		
Llanio	Bremia		
Llanymddyfri	Alabum		
Mynwy	Blestium		
Y Fenni	Gobannium		

—— IAITH BLODAU ——

*Yn oes Fictoria, defnyddid cardiau â blodau arnynt
i gyflwyno negeseuon, rhai serch gan amlaf:*

blodyn y gwynt *(anemone)*	~	disgwyliad
blodyn menyn *(buttercup)*	~	cyfoeth
briallu *(primroses)*	~	ansicrwydd
bys y blaidd *(lupin)*	~	torri calon
ceian *(carnation)*	~	cariad pur
cennin Pedr *(daffodils)*	~	edifeirwch
cloch yr eos *(harebell)*	~	galar
clychau'r gog *(bluebells)*	~	tristwch
dant y llew *(dandelion)*	~	rhagddywediad
eirlys *(snowdrop)*	~	cysur
y galon waedlyd *(love lies bleeding)*	~	cariad yn oeri
glas y gors *(forget-me-not)*	~	cariad ffyddlon
gwyddfid *(honeysuckle)*	~	ffyddlondeb
lafant *(lavender)*	~	cydnabod cariad
lelog *(lilac)*	~	cariad cyntaf
llygad y dydd *(daisy)*	~	diniweidrwydd
meillion *(clover)*	~	hapusrwydd
mynawyd y bugail *(geranium)*	~	cysur
ofergaru *(pansy)*	~	atgofion melys a thyner
rhosyn *(rose)*	~	tawelwch
saffrwm *(crocus)*	~	priodas
tiwlip *(tulip)*	~	cyffes o gariad

—— ANAML BETHAU'R BYD ——

Cyfreithiwr gonest	Ymenyn heb enwyn
Dyn dibechod	Cybydd heb flys
Neidr heb wenwyn	Meddwyn heb syched
Crefftwr heb dwyll	Duwiol heb weddïo

—— EGLWYSI ——

Eglwys Rufain

Ar hyd yr Oesoedd Canol, Eglwys Rufain oedd 'Yr Eglwys' yng ngwledydd y Gorllewin, eglwys sydd yn parhau hyd y dydd heddiw.

- Y Pab, sydd yn olrhain ei awdurdod yn ôl i Pedr, un o ddeuddeg disgybl Iesu Grist, yw pen Eglwys Rufain.
- Gwaith yr eglwys yw sicrhau addoliad a gweinyddu'r sagrafennau (math o gerrig milltir crefyddol) megis bedydd, conffirmasiwn, cymun, priodas, a'r eneiniad olaf.
- Ceir cyfundrefn o esgobion ac offeiriaid i weinyddu'r gwasanaethau.
- Gan yr esgobion a'r offeiriad yn unig yr oedd yr hawl i egluro'r *Beibl*, a hynny ar sylfaen hir o draddodiad a dysg eglwysig.

Cristnogaeth Geltaidd

Rhwng y 5ed ganrif a'r 7fed yr oedd gan Gristnogaeth Geltaidd ei chymeriad ei hun.

- Teithiai'r cenhadon (y seintiau) ar draws y môr rhwng Iwerddon, Gogledd a Gorllewin Prydain a Llydaw.
- Un o'r nodweddion Celtaidd oedd y gyfundrefn fynachaidd. 'Llan' oedd yr enw ar y lle y byddai un o'r cenhadon yn sefydlu ei eglwys, a 'clas' oedd yr enw ar y casgliad o fynaich a chlerigwyr, dan awdurdod esgob, a ffurfiai 'fynachlog' Geltaidd.
- Er bod Cristnogaeth Geltaidd yn gyndyn i gydnabod holl awdurdod Eglwys Rufain, nid oedd yn eglwys ar wahân, ac erbyn yr 8fed ganrif yr oedd wedi adennill ei lle o fewn yr Eglwys Fawr Babyddol.

Y Protestaniaid

Yn 1517 yn yr Almaen, dyma fynach distadl o'r enw Martin Luther yn herio'r gyfundrefn eglwysig ac yn honni mai ffydd yr unigolyn yn Iesu Grist oedd yr hyn a oedd yn sylfaenol bwysig.

- Er mwyn cyfiawnhau ei brotest yn erbyn yr Eglwys Babyddol, fe ddefnyddiodd awdurdod y *Beibl*.

- Yr oedd datblygiad yr argraffwasg a gwaith ysgolheigion y Dadeni Dysg yn golygu bod mwy a mwy o bobl yn mynd i allu darllen copïau o'r *Beibl.*
- Lledodd y Brotest ar draws Ewrop gyda phwyslais ar ffydd yr unigolyn, a phwysigrwydd darllen y Gair a'i bregethu. Dyma'r 'Diwygiad Protestannaidd'.

Sefydlu Eglwys Loegr

Tua'r un cyfnod yn Lloegr, yr oedd Harri Tudur yn awyddus i ysgaru ei wraig, ond yr oedd y Pab yn gwrthod caniatáu hynny.

- Yn 1534, dyma Harri'n ymwrthod ag awdurdod y Pab fel pennaeth yr Eglwys ac yn ei osod ei hun yn bennaeth ar yr Eglwys yn Lloegr.
- Cadwodd at yr un drefn o esgobion ac offeiriaid, ond fe ddaeth rhai o syniadau ac arferion Luther a'i gefnogwyr – y Protestaniaid – o dipyn i beth, i mewn i'r drefn newydd.
- Yr oedd hyn yn cynnwys cyfieithu'r *Beibl* i iaith y bobl – yn Saesneg ac yn Gymraeg.

1534–1642

Ceir cyfnod wedyn lle'r oedd gwahanol frenhinoedd a breninesau Lloegr yn gwegian rhwng cefnogi Eglwys Rufain a chefnogi Eglwys Loegr ond o dan Elizabeth I gwnaed Eglwys Loegr yn swyddogol Brotestannaidd.

- Gydag amser (o'r 1560au ymlaen) gwelwyd rhai a oedd am ddiwygio'r eglwys ymhellach a newid cyfundrefn o esgobion ac offeiriaid yn gyfundrefn Bresbyteraidd.

Y Rhyfel Cartref a'r Ddeddf Goddefiad

Penllanw'r cyfnod yma oedd y Rhyfel Cartref a buddugoliaeth y Senedd dan arweiniad Oliver Cromwell.

- O dan Cromwell cafodd pobl gryn ryddid i addoli. Daeth nid yn unig y Presbyteriaid, ond hefyd yr Annibynwyr a'r Bedyddwyr i lawer mwy o amlygrwydd dan yr enw cyffredinol 'Piwritaniaid'.
- Gydag esgyniad Siarl II i'r orsedd ac yn bennaeth unwaith

eto ar yr Eglwys, bu cyfyngu llym ar ryddid yr unigolyn
i addoli y tu allan i Eglwys Loegr. Ond yn 1689 pasiwyd
Deddf Goddefiad a ganiataodd i bob un ryddid i addoli.

- Ar ôl 1689, daeth carfanau crefyddol mwy pendant i'r amlwg
  ac yr oedd addoldai ar wahân i eglwysi yn dechrau cael eu codi.

Datblygiadau Diweddarach

<u>*Eglwys Rufain*</u> *(Yr Eglwys Gatholig / Yr Eglwys Babyddol)*
Er nad oedd hi'n eglwys sefydledig ym Mhrydain mwyach,
goroesodd gyfnod yr erlyniadau a chynnig ffordd amgen a
hŷn o wasanaethau nag eiddo'r Eglwysi Protestannaidd.

<u>*Yr Eglwysi Anglicanaidd*</u> *(Eglwys Loegr; Yr Eglwys yng Nghymru)*
Er ei bod yn Eglwys Brotestannaidd yn swyddogol, cafwyd cryn
amrywiaeth yn naliadau Eglwyswyr dros y canrifoedd. Yng
Nghymru, bu llawer o dyndra yn y 19eg ganrif yn deillio o'r
ffaith fod Eglwys Loegr ynghlwm wrth y wladwriaeth. Yr oedd
deddfau yn gorfodi hyd yn oed y rhai nad oeddynt yn aelodau
o'r Eglwys i dalu treth (degwm) iddi, a chafwyd tirfeddianwyr
Anglicanaidd yn ceisio gorfodi eu tenantiaid i gefnogi'r Eglwys.
Yn 1920, datodwyd y rhwymyn cyfreithiol rhwng yr Eglwys yng
Nghymru ac Eglwys Loegr, er bod yr Eglwys yng Nghymru yn
dal yn rhan o'r Cyfundeb Anglicanaidd.

<u>*Yr Anghydffurfwyr*</u>
Nid oedd yr Anghydffurfwyr yn barod i dderbyn trefn a litwrgi
Eglwys Loegr:

<u>*Yr Annibynwyr a'r Bedyddwyr*</u>
Yr oedd y rhain ill dau yn dilyn yr hyn a ddysgwyd gan
John Calfin ond yn gwahanu o ran rhai materion eraill:

- mae'r Annibynwyr yn credu y dylai pob eglwys fod yn
  annibynnol ac mai gan aelodau'r eglwys unigol y mae'r hawl
  i wneud penderfyniadau.
- nid yw'r Bedyddwyr yn credu y dylid bedyddio baban bach;
  dylid yn hytrach fedyddio'r rhai sy'n proffesu ffydd bersonol
  yn Iesu Grist.

Y Methodistiaid

- Yn y 18fed ganrif cafwyd y 'Diwygiad Methodistaidd', yn bennaf yn Eglwys Loegr. Maes o law ymunodd y Methodistiaid â'r Anghydffurfwyr, ac yna gwahanu'n ddwy garfan:
  - *i* Y Methodistiaid Wesleaidd yn dilyn John Wesley yn Lloegr. Nid oedd ef yn derbyn yn llwyr ddysgeidiaeth John Calfin mai dim ond y rhai etholedig sy'n cael eu 'hachub' gan Iesu Grist.
  - *ii* Y Methodistiaid Calfinaidd oedd y rhai a oedd yn dilyn Calfin ac yn cael eu harwain yng Nghymru gan Hywel Harris, Daniel Rowland a William Williams Pantycelyn. Yn yr 20fed ganrif newidiwyd yr enw i *Eglwys Bresbyteraidd Cymru*.

Y Crynwyr

Llysenw ar Gymdeithas Grefyddol y 'Cyfeillion' a ddaeth i'r amlwg ganol yr 17eg ganrif. Ymwrthodent ffurf allanol ar grefydd – pethau megis gweinidogion ordeiniedig a litwrgi – gan osod eu pwyslais ar arweiniad 'y Goleuni Mewnol'.

Yr Undodiaid

Ar hyd hanes Cristnogaeth ceir rhai nad ydynt yn credu yn nuwdod Iesu Grist, dim ond ei fod yn ddyn da y dylid dilyn ei ddysgeidiaeth.

Yn ystod yr ugeinfed ganrif, gwelwyd gwahanol fudiadau'n codi i bwysleisio grym yr Ysbryd Glân ym mywyd yr unigolyn. Mae gwreiddiau mudiadau Pentecostaidd fel Elim a'r Eglwys Apostolaidd yn Niwygiad 1904 yng Nghymru. O'r 1950au ymlaen mae'r Mudiadau Carismataidd wedi dilyn trywydd tebyg. Cododd hefyd eglwysi efengylaidd i ailgydio yn y berthynas rhwng athrawiaethau beiblaidd a bywyd ysbrydol a welwyd ymhlith yr Annibynwyr, y Bedyddwyr a'r Methodistiaid cynnar.

—— SOL-FFA ——

Y berthynas rhwng nodau mewn wythawd sol-ffa yw:

d	r	m	f	s	l	t	d
4	$4\frac{1}{2}$	5	$5\frac{1}{3}$	6	$6\frac{2}{3}$	$7\frac{1}{2}$	8

— Y MODIWLATOR —
CYWEIRIADUR

—— LÔN LAS CYMRU ——

Y llwybr beicio sy'n cyrraedd o Gaergybi i Gaerdydd:

- Caergybi – Llanfair Pwllgwyngyll yn dechrau yng Nghanolfan Wybodaeth y porthladd
- Llanfair Pwllgwyngyll – Y Felinheli (ar hyd heol brysur)
- Lôn las Menai – Caernarfon (Caergybi–Caernarfon 38 milltir)
- Lôn Eifion (ger y castell) a dewis naill ai mynd i Gricieth neu'n syth i Borthmadog (Caernarfon – Porthmadog 29 milltir)
- Porthmadog – Penrhyndeudraeth
- Penrhyndeudraeth – Maentwrog (ar hyd y B4410)
- Maentwrog – Gellilydan – Trawsfynydd
- Trawsfynydd – Coed y Brenin (llwybrau garw) – Dolgellau
- Porthmadog – Dolgellau drwy Drawsfynydd (29 milltir)
- Porthmadog – Dolgellau drwy'r Bermo (gyda llwybr dewis rhwng Harlech yn croesi afon Artro, 31 milltir)
- Dolgellau – Aberllefenni – Machynlleth (15 milltir)
- Dolgellau – Tywyn – Machynlleth (llwybr Mawddach yn llyfn a gwastad, ond y Ffordd Ddu yn nes ymlaen yn galw am feic mynydd, 36 milltir)
- Machynlleth – Dylife – Llanidloes (24 milltir)
- Llanidloes – Rhaeadr Gwy – Llanfair-ym-Muallt (32 filltir)
- Llanfair-ym-Muallt – Y Clas-ar-Wy – Y Fenni (40 milltir)
- Y Fenni – Cas-gwent (29 milltir)
- Llanfair-ym-Muallt – Talgarth – Aberhonddu (3 milltir)
- Aberhonddu – Caerdydd (hyd Taith Taf, 54 milltir)

—— ALBAN ——

Gair a fathwyd gan Iolo Morganwg i nodi pedwar chwarter y flwyddyn:

Alban Arthan heuldro'r gaeaf tua 21 Rhagfyr

Alban Eilir cyhydnos y gwanwyn tua 21 Mawrth

Alban Elfed cyhydnos yr hydref tua 21 Medi

Alban Hefin heuldro'r haf tua 21 Mehefin.

—— GORWEDD LLWCH ——
HOLL SAINT YR OESOEDD

Llan-saint

> Yn Sir Gaerfyrddin. Defnyddir 'saint' fel ffurf unigol,
> yn arbennig gydag enwau di-Gymraeg.

Tre-saith

> Traeth Saith (afon) yn wreiddiol, ond mae 'saith'
> yn hen ffurf ar 'saint'.

Llanddeusant

> • Simon a Jude yn Sir Gaerfyrddin;
> • Marcellus a Marcellinus ym Môn.

Llantrisaint

> • Fawr ym Mynwy, Euddogwy, Teilo a Dyfrig
> • Sanna, Afan ac Ieuan oedd y tri sant ym Môn.

Llantrisant

> Yn Rhondda Cynon Taf, Illtud, Gwynno a Dyfodwg.

Trisant

> Yng Ngheredigion.

Llan-y-tair-Mair

> Yn Abertawe, yn seiliedig ar y chwedl fod Anna,
> mam y Forwyn Fair, wedi priodi dair gwaith a chael
> tair merch a'u henwi'n Mair.

Llanpumsaint

> Yn sir Gaerfyrddin, sef Gwyn, Gwynno, Gwynoro,
> Ceitho a Celynin.

Pumsaint

> Yn Sir Gaerfyrddin yr un pum sant eto.

Llangwyryfon

> Santes Wrswla a'r un fil ar ddeg o wyryfon
> a hwyliodd i'r cyfandir gyda hi.

Ynys Enlli

> Ceir beddau 20,000 o seintiau.

— SWYNION —

At y Dyn Hysbys y byddai'r Cymry yn mynd er mwyn cael swyn
a fyddai'n dad-wneud rhaib gwrach, neu i reibio rhywun arall.

Roedd yr abracadabra yn bwysig a hefyd y tetragram.

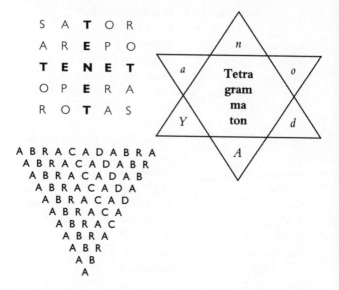

— GEIRIAU DDOE/HENFFASIWN —

Mae gennyf flwch o fflachau yn llogell fy llodrau
Mae gen i focs o fatsys ym mhoced fy nhrywser

blorai	*nitrogen*
bwhwmanfa	*promenâd*
cerbydres	*trên*
deurodur	*beic*
diddosben	*het*
ermig	*peiriant*
ffrwchnedd	*banana*
perdoneg	*piano*

—— TERMAU AMAETH ——

Oherwydd cefndir amaethu siaradwyr yr iaith Gymraeg er pan
ddatblygodd yn iaith ar wahân yn y 6ed ganrif, mae geirfa a
delweddau amaeth yn drwch drwy ein llenyddiaeth.

adladd: adledd: adlodd *hwn*	ail gnwd o borfa ar ôl y cynhaeaf cyntaf
amaethwr *hwn*	ffermwr
anhywaith	anodd ei drin (am anifail)
anner *hon*	buwch ifanc heb ddwyn llo
âr	wedi'i aredig (am dir)
arddio: arddu	aredig
arddwr *hwn*	aradwr
arfod *hon*	cymaint ag a dorrir ag un trawiad pladur/bwyell/peiriant cneifio
arhosfa: rhosfa *hon*	cynefin defaid
awen(au) *hon*	rêns
berdio	gosod pigau drain ar ben clawdd i gadw defaid rhag crwydro
bid *hon*	gwrych wedi'i docio
blaenffrwyth *hwn*	cynnyrch cyntaf y tymor
blewyn *hwn*	darn o wellt
blith	llawn llaeth
botel *hon*	tusw o wair neu wellt
braenar *hwn*	tir wedi'i aredig a'i lyfnu a'i adael yn segur am gyfnod
braenaru	troi a thrin tir yn barod i'w hau
brithdir *hwn*	tir o ansawdd canolig
buches *hon*	gyr o fuchod godro
bwrn *hwn*	bwndel neu faich o wair neu wellt
cadair *hon*	pwrs buwch
canlyn march	mynd â march o fferm i fferm adeg tymor cyfebu
carthu	gwaredu'r tail a'r baw o stabal a beudy
cengl *hon*	strapen sy'n dal y cyfrwy

ceib(i)o	cloddio â chaib
cel *hwn*	enw anwes ar geffyl
cethreinwr *hwn*	un a gerddai o flaen ychen yn eu hwynebu a'u hannog â ffon bigog (cethr) a chân
cloren *hon*	bôn y gynffon
cnu *hwn*	y got wlân sydd gan ddafad
cocyn gwair	degfed ran o fwdwl
cogwrn *hwn*	tas fach
corn (aradr) *hwn*	y darn y cydir ynddo
cunos *hwn*	y gorchwyl o fynd â'r ŷd i'r felin i'w falu
cwcwy *hwn*	wy wedi'i ffrwythloni gan geiliog
cwys *hon*	y rhimyn tir a droir gan aradr
cywain	casglu ynghyd i'r ydlan
deor	dwyn cyw allan o'r wy
dyrnu	gwahanu'r grawn wrth y gwellt drwy eu ffusto
dywyddu	dangos arwyddion dod â llo neu foch bach
ebran *hwn*	bwyd sych anifail
ehedeg	am blanhigion yn ffurfio hadau yn lle blodau
ffwrwm *hon*	mainc
grofft *hwn/hon*	cae bach yn ymyl tŷ
grwn *hwn*	y gefnen o dir rhwng dau rych
gwanaf *hon*	cymaint ag a dorrir ag un trawiad pladur, neu beiriant erbyn hyn
gwasarn *hwn*	gwellt, brwyn, ac ati a ddefnyddir yn wely i anifail
gwerddon *hon*	tir glas yng nghanol tir diffaith
gwern *hyn*	coed *alder*
gwern *hon*	y tir corsog lle bydd y coed hyn yn tyfu
gweryd *hwn*	pridd

gwrychyn *hwn*	blew (fel blew cath sy'n codi o'i chynhyrfu)
gwŷdd *hwn/hon*	aradr
gwyndwn: gwndwn *hwn*	tir heb ei droi ers blynyddoedd
gwyntyllu	creu gwynt er mwyn gwahanu'r grawn (trwm) wrth yr us (ysgafn)
hadyd *hyn*	grawn ŷd a gedwir ar gyfer eu hau
helm *hon*	tas gron o wair neu ŷd mewn cae
heth *hwn/hon*	tywydd caled o rew ac eira
hin *hon*	tywydd (drwg os na fydd ansoddair yn ei ddisgrifio)
hirlwm *hwn*	diwedd y gaeaf pan fo bwyd dyn ac anifail yn brin
hwsmon *hwn*	ffermwr
hwsmonaeth *hon/hwn*	ffermio
hwylfa *hon*	lôn fferm
hyweddu	torri ceffyl mewn, cael ych dan yr iau
libart *hwn*	tir yn perthyn i anifeiliaid arbennig
llacio'r gengl	yr hyn a wneir i geffyl gwaith ar ddiwedd diwrnod o waith
llaesodr *hwn/hon*	y rhan o'r beudy lle mae'r fuwch yn sefyll i fwyta a chael ei godro
llwdn *hwn*	anifail ifanc (dafad fel arfer)
llwybr brân/llwybr tarw	y llwybr byrraf rhwng dau le
mwdwl *hwn*	pentwr
mwng *hwn*	blew hir ar gefn ceffyl
nithio	gwahanu'r grawn wrth yr us
odyn *hon*	math o ffwrn i grasu neu sychu (calch, grawn)
og *hon*	offeryn danheddog at lyfnhau'r tir
pannu	proses o lanhau a thewychu gwlân
pedol *hon*	y darn haearn a roddir dan draed ceffylau yn bennaf (ond anifeiliaid eraill gynt)
pladur *hon*	offeryn llaw at ladd gwair

plygu gwrych	y grefft o lunio gwrych na all anifail ddianc drwyddo
porthmon *hwn*	un a gerddai anifeiliaid i farchnadoedd pell yn y dyddiau cyn bod trên
preseb *hwn*	cafn bwyd (gwartheg neu geffyl)
pridd y wadd *hwn*	pentyrrau o bridd mân a wthir i wyneb y ddaear gan dwrch daear
rhawn *hwn*	blew garw cynffon a mwng ceffyl
rhesel: rhastal *hon*	silff rwyllog ar wal; bydd anifeiliaid yn gorfod tynnu gwair drwyddi er mwyn ei fwyta
	gostwng y rhastal – rhoi mwy o fwyd
	codi'r rhastal – rhoi llai o fwyd
rhych *hwn/hon*	y pant rhwng y ddau gefn mewn cae wedi'i aredig
rhywiog	mewn cyflwr da
silwair *hwn*	gwair neu borfa wedi'u casglu'n iraidd a'u storio mewn silo
siprys *hwn*	cymysgedd o wahanol fathau o ŷd
slang: slangen *hon*	llain hirgul o dir
sodren *hwn/hon*	ffurf dafodieithol ar 'llaesodr'
sopen *hon*	swp o wair
stwc *hwn*	nifer o ysgubau ŷd wedi'u rhoi at ei gilydd yn sefyll i fyny
taflod *hon*	llofft agored
tafol *hon*	clorian pwyso pethau trwm
tail *hwn*	baw anifeiliaid
talar *hon*	y llain o dir ar ddeupen cae lle bydd yr aradr yn troi wrth aredig
talwrn *hwn*	lle caeedig, e.e. ar gyfer dyrnu, ymladd ceiliogod, ac ati
tanfa: taenfa *hon*	gwair, ŷd, brwyn ac ati, wedi'u torri, yn gorwedd yn rhesi dros y cae
tas *hon*	pentwr mawr trefnus o fawn, ŷd, gwellt, neu wair, weithiau'n grwn, weithiau ar ffurf tŷ

tennyn *hwn*	rhaff
tom *hon*	baw anifeiliaid
ton *hwn*	croen y tir, y borfa ar wyneb y ddaear
tor *hwn*	chwyddiant, bol
tres *hon*	un o'r strapiau lledr neu'r cadwynau yn clymu anifail wrth aradr
trol *hon*	cert dwy olwyn a dynnid gan geffyl, i gario pethau trwm
twca *hwn*	cyllell fawr gref
twlc *hwn*	cwt mochyn
tymp *hwn*	cyflawniad amser i fwrw epil
ydlan *hon*	y man pwrpasol i gasglu'r ŷd i ddiddosrwydd, adeg y cynhaeaf
ysgub *hon*	bwndel o ŷd wedi'i glymu ynghyd
ysgub *hon*	brws ysgubo o wiail ysgafn
ystod *hon*	cymaint o ŷd neu wair ag a dorrir ar y tro gan lafn y bladur/peiriant

—— Y PEDWAR GWYNT ——

Gwynt y Gogledd

Tywyll ei bryd, aeldrwm a chuchiog ei wedd
ac yn hercian yn afrosgo fel gan win.

Gwynt y Dwyrain

Ismael o wynt, sur ei wep, a melyn ei groen,
fel un a brofodd fywyd ac a fwriodd mai
gwagedd ydyw.

Gwynt y De

Morwyn lariaidd a mwyn ei threm, a gosgeiddig
ei cherddediad.

Gwynt y Gorllewin

Glaslanc crychwallt, a'i drem gywir i gannwyll
y llygad, ar drothwy bywyd, a chyffes ei ffydd yn
groyw ar ei bryd – plentyn yr eangderau glân.

(Hafodydd Brithion)

—— RHAI BYRFODDAU ——
AC ACRONYMAU

Fel rheol, os yw byrfodd yn gorffen â'r un llythyren â'r gair y mae'n fyrfodd ohono, nid oes angen atalnod *Mr Dr Y Fns* ond *Y Parch.*

AAA	Ardal Amgylchedd Arbennig
AC	Aelod o'r Cynulliad
ACCAC	Awdurdod Cymwysterau Cwricwlwm ac Asesu Cymru
AEM	Arolygydd Ei Mawrhydi
AS	Aelod Seneddol
a.y.b.	ac yn y blaen
Bns	Boneddiges (Mrs)
Bon.	Bonwr (Mr)
C.	Canradd (Celsiws)
CC	Cyn Crist
c.c.c.	cwmni cyhoeddus cyfyngedig (plc)
DS	Dalier Sylw
e.e.	er enghraifft
gw.	gweler
h.y.	hynny yw
m.y.a.	milltir yr awr
OC	Oed Crist
TAW	Treth ar Werth
TGAU	Tystysgrif Gyffredinol Addysg Uwchradd
TGC	Technoleg Gwybodaeth a Chyfathrebu
UDA	Unol Daleithiau America
UFA	Unrhyw Fater Arall
y DU	Y Deyrnas Unedig
YH	Ynad Heddwch
y Parch.	y Parchedig
Ysw.	Yswain

	40000 CC	25000 CC	10000 CC	7000 CC	3500 CC	2500 CC
Affrica	30000 CC Y Dynion Neanderthal yn diflannu.	24000 CC Muriau ogofau yn cael eu paentio yn Namibia. 18,000 CC Anheddiadau yn Sair.	10000 CC Gwersylloedd hela yn y Sahara ar ddiwedd Oes yr Iâ.	6000 CC Gwartheg yn cael eu dofi yn y Sahara.	2500 CC Adeiladu Pyramid mawr Khufu yn Giza.	2100 CC Teymasoedd cyfnod canol yr Aifft.
Asia	40000 CC Y Dynion Cro-Magnon yn byw yn Israel.	14000 CC – 11000 CC Diwylliant El-Kabarehh, Israel. 10500 CC Crochenwaith cyntaf Japan.	8000 CC Jerico, dinas hynaf y byd, wedi'i sefydlu.	5000 CC Reis yn cael ei dyfu yn Tsieina. Dinasoedd yn cael eu codi ym Mesopotamia. Ffermio yn dechrau ar hyd afon Ganges India.	3500 CC Creu'r olwyn ym Mesopotamia.	1790 CC Hamurabi Brenin Babilon.
America	35000 CC – 20000 CC Y dynion cyntaf yn cyrraedd Gogledd America o Asia.	25000 CC Pobl yn byw mewn ogofau ym Mrasil ac yn creu paentiadau.	9000 CC Pobloedd cyntaf yn cyrraedd pen pellaf De America.	6500 CC Tatws a grawn yn cael eu codi ym Mheriw. Y sefydliadau cyntaf yn Anáhuac, Mexico.	3000 CC Crochenwaith cyntaf De America.	2000 CC Yr Inuit yn cyrraedd Greenland.

Moroedd y De	40000 CC Cyndeidiau cynfrodorion Awstralia yn cyrraedd o Asia.	24000 CC Yr amlosgiad cyntaf yn Awstralia. 16000 CC Lluniau yn ogofâu Awstralia.	☞	Tasmania a Guinea Newydd yn cael eu gwahanu oddi wrth Awstralia wrth i'r dyfroedd godi.	☞	Anheddiadau ym Melanesia y Môr Tawel.
Ewrop	40000 CC Y Dynion Cro-Magnon yn cyrraedd o Affrica. 35000 CC Arlunwaith cynnar yn y Dordogne, Ffrainc.	15000 CC Paentiadau ogofâu Lascaux, Ffrainc. 11000 CC Paentiadau Altamira, Sbaen.	10000 CC Iâ yn dechrau toddi, rhewlifoedd yn cilio.	6500 CC Prydain yn cael ei gwahanu oddi wrth Ewrop wrth i'r iâ doddi. Beddrodau Megalithig yn Llydaw a Phortiwgal.	2900 CC Dechrau sefydlu diwylliant afon Danaw. 2800 CC Dechrau adeiladu Côr y Cewri.	2000 CC Dechrau gwareiddiad Minoa yng Nghreta.
Cymru	☞	24000 CC Esgyrn 'Dynes Goch Paviland' a oedd mewn gwirionedd yn ddyn ifanc.	☞	☞	3500 CC Codi cromlechi e.e. Barclodiad y Gawres a Tinkinswood.	2000 CC Pobl y Diodlestri. Meini glas Preseli yn cael eu cludo ar gyfer Côr y Cewri.

	1500 CC	1000 CC	600 CC	300 CC	1 OC	300 OC
Affrica	1300 CC Adeiladwyd Teml Abu Simbel i Rameses II.	900 CC Sefydlwyd teyrnas Kush yn Nubia.	332 CC Alexander Fawr yn gorchfygu'r Aifft.	290 CC Sefydlu Llyfrgell Alexandria yn yr Aifft.	Teyrnas Aksum Ethiopia yn ehangu.	Teyrnas gan y Fandaliaid yng Ngogledd Affrica.
Asia	1200 CC Iddewon yn ymsefydlu ym Mhalesteina.	1000 CC Teyrnasiad y Brenin Dafydd.	563–486 CC Cyfnod y Bwdha.	221 CC Qin Shih Huangdi, yr Ymerawdwr cyntaf i uno Tsieina.	30 OC Croeshoeliwyd Iesu Grist.	320 OC Chandragupta I yn sefydlu Ymerodraeth Gupta yn Ngogledd India.
America	1300 CC Gwareiddiad Olmec yn codi ym Mexico.	800 CC Gwareiddiad Zapotec yn America Ganol.	400 CC Dirywiad gwareiddiad Olmec.	200 CC Gwareiddiad Nazca, Periw.	1 OC Gwareiddiad Moche gogledd Periw.	600 OC Gwareiddiad Maya yn ei anterth yn America Ganol.
Moroedd y De	1300 CC Pobl yn ymsefydlu yn Fiji.	1000 CC Ymsefydlwyr yn cartrefu yn Ynysoedd Polynesia.	500 CC Masnachu rhwng sefydloedd Môr y De.	☞	1 OC Dilynwyr Bwdha Hindŵaidd yn cyraedd Sumatra a Jafa.	300 OC Ymsefydlwyr yn cartrefu yn rhannau dwyreiniol Polynesia.

Ewrop	1500 CC Dechrau Oes y Pres yn Scandinafia.	753 CC Sefydlu dinas Rhufain.	477 CC Codi Parthenon Athen.	46 CC Julius Caesar yn unben ar y Rhufeiniaid.	43 OC Y Rhufeiniaid yn cyrraedd Prydain.	330 OC Sefydlu Caer Gystennin (Constantinople).
Cymru	1500 CC Olion bedd Branwen ar Ynys Môn.	1000 CC Codi bryngaerau megis caer Dinorben.	600 CC Cleddyf haearn Llyn Fawr uwchben y Rhondda.	200 CC Tre'r Ceiri ar lechweddau'r Eifl.	150 CC–OC 50 Cyfarpar cain yn Llyn Cerrig Bach, Ynys Môn a'r cysylltiad â'r derwyddon.	OC 60 Y Rhufeiniaid yn lladd y Derwyddon ac yn distrywio'u llennyrch ar Ynys Môn.
	600 OC	850 OC	1100 OC	1175 OC	1250 OC	1350 OC
Affrica	622 Blwyddyn 1 yng nghalendr Islam.	900 Teyrnas Hausa yn cael ei sefydlu yn Nigeria.	1169 Saladin yn teyrnasu yn yr Aifft.	1187 Saladin yn cipio Jerwsalem oddi ar y Croesgadwyr.	1291 Y Saraseniaid yn cipio dinas Acre ac yn dirwyn brwydrau'r Croesgadau i ben.	1352 Yr ysgolhaig Ibn Battut o Moroco yn croesi'r Sahara i Mali.
Asia	786–809 Harun al-Rashid yw califf Baghdad. 794 Kyoto yn brifddinas Japan.	888 Teyrnasiad Chola o frenhinoedd Tamil yn disodli teyrnasiad Pallava yn Ne India.	1104 Croesgadwyr Cristnogol yn cipio dinas Acre, Israel.	1206 Genghis Khan yn sefydlu Ymerodraeth Fongol.	1290 Yr Otomaniaid (Mwslemiaid Twrci) yn dod i rym.	1397 Tamerlane, arweinydd y Mongoliaid, yn ymosod ar India.

America	1438 Pachacuti yn ehangu ymerodraeth yr Inca.	1325 Asteciaid yn sefydlu priddinas yn Tenochtitlán.	1200 Y ffermydd cyntaf ar hyd afon Mississippi.	1151 Diwedd ymerodraeth y Tolteciaid.	980 Tolteciaid yn sefydlu Tula yn brifddinas Mexico.	700 Periwiaid yn gwau lluniau gwlân.
Moroedd y De	1350 Celfyddyd ar greigiau yn Seland Newydd.	1300 Y Maori'n hela'r aderyn Moa Mawr i ddifodiant.	1250 Codi llwyfannau crefyddol drwy'r ynysoedd.	1100 Cerfluniau mawr Ynys y Pasg yn cael eu codi.	1000 Anheddiad Moroedd y De yn gyflawn.	500 Ymsefydlwyr yn cartrefu ar Ynys y Pasg.
Ewrop	1415 Brwydr Agincourt lle gorchfygodd y Saeson y Ffrancwyr.	1273 Rudolph Hapsburg yn teyrnasu yn yr Almaen. 1347 Y Pla Du.	1215 Y Brenin John yn arwyddo'r Magna Carta.	1119 Sefydlu Prifysgol Bologna yn yr Eidal.	800 Siarlymaen (Siarl Fawr) yn cael ei goroni yn Ymerawdr cyntaf yr Ymerodraeth Lân Rufeinig. 1066 Gwilym Goncwerwr yn ymosod ar Loegr. 1096 Dechrau rhyfel y Croesgadau.	
Cymru	1400 Owain Glyndŵr yn Dywysog Cymru.	1230 Llywelyn Fawr yn Dywysog Aberffraw ac yn Arglwydd Eryri. 1282: Lladd Llywelyn ap Gruffydd, y Llyw Olaf.	1165: Teyrnasiad Owain Gwynedd yn y Gogledd a'r Arglwydd Rhys yn y Deheubarth. 1163: *Historia Regum Britanniae*, Sieffre o Fynwy.	1081 Rhys ap Tewdwr yn frenin Deheubarth a Gruffydd ap Cynan yng Ngwynedd.	850 Rhodri Mawr yn teyrnasu dros ddeuparth Cymru. 928 Llunio deddfau Hywel Dda.	383 Macsen Wledig yn gadael am Rufain. 550 Dewi Sant yn ei flodau.

	1450 OC	1500 OC	1550 OC	1600 OC	1640 OC	1700 OC
Affrica		1500 Taleithiau Hausa yn datblygu yng Ngorllewin Affrica.	1591 Milwyr cyflog o Moroco ac Ewrop yn goresgyn Ymerodraeth y Songhai yng Ngorllewin Affrica.	1600 Teymasoedd Ewrop yn sefydlu canolfannau masnach ar arfordir Affrica.	1690 Teymasiad yr Ashanti ar y Traeth Aur, Affrica.	1712 Teymas Futa Jalon yn dechrau yng Ngorllewin Affrica.
						1727 Tyfwyd coffi yn Asia am y tro cyntaf.
Asia	1453 Caer Gystennin yn syrthio. Diwedd Ymerodraeth Bysantiwm.	1526 Babur yn ymerawdr Mughal cyntaf India.	1577 Akbar Fawr yn uno Gogledd India.	1632 Dechrau adeiladu'r Taj Mahal yn India.	1644 Teymasiad Manchu (Qing) yn dechrau yn Tsieina.	
America	1499 Amerigo Vespucci yn archwilio Gogledd America ac ymhell i fyny afon Amason.	1519 Ferdinand Magellan yn cychwyn hwylio o amgylch y byd.	1579 Francis Drake yn hawlio arfordir Gorllewinol America i Brydain.	1620 Y Mayflower yn hwylio i America o Loegr.	1675 Rhyfel rhwng yr Indiaid brodorol a'r trefedigaethau newydd.	1739 Caethweision yn gwrthryfela yn Ne Carolina.

Moroedd y De	1450 Teymas Tonga yn lledu pan goncrodd rhyfelwyr Tu'i Tonga ynys De Uvea.	1526 Portiwgeaid yn glanio yn Polynesia.	1567 Y Sbaenwr Mendaña yw'r cyntaf i gyrraedd Ynysoedd Solomon.	1606 Luis Vaez de Torres yn hwylio rhwng Awstralia a Guinea Newydd.	1642 Y fforiwr Abel Tasman yn cyrraedd Tasmania a Seland Newydd.	1722 Jacob Roggeveen o'r Iseldiroedd yn cyrraedd Samoa ac Ynys y Pasg.
Ewrop	1450 Argraffwasg Johannes Gutenberg yn cynhyrchu'r llyfrau printiedig cyntaf.	1503: 'Mona Lisa' Leonardo da Vinci. 1517: Diwygiad Protestannaidd. 1533: Ifan Arswydus yn teyrnasu yn Rwsia.	1588 Llynges Lloegr yn curo llynges Sbaen.	1603 Iago VI yn uno'r Alban a Lloegr.	1642–9 Rhyfel Cartref Lloegr. 1682 Pedr Fawr yn teyrnasu yn Rwsia.	1700 Yr Oes Oleuedig. Ffrederic Fawr yn frenin Prwsia.
Cymru	1485 Harri Tudur yn glanio yn Aberdaugleddau ar ei ffordd i Frwydr Bosworth a brenhiniaeth Lloegr.	1536 Deddfau Uno Cymru a Lloegr. 1546 *Yn y lhywyr hwnn*, y llyfr cyntaf i'w argraffu yn Gymraeg.	1588: Cyfieithu'r Beibl i'r Gymraeg gan yr Esgob William Morgan. 1593 Merthyrdod, John Penry, Cefn-brith.	1617 Ymgais William Vaughan i sefydlu Cambriol, gwladfa Gymreig yn Newfoundland.	1680 Nifer o Grynwyr, ymysg eraill, yn ymfudo i Pennsylvania yn yr Unol Daleithiau.	1730 Dechrau Ysgolion Cylchynol Gruffydd Jones, Llanddowror.

	1750 OC	1790 OC	1830 OC	1845 OC	1860 OC	1880 OC
Affrica	1768 Ali Bey yn teyrnasu ar Aifft annibynnol.	1822 Liberia yn cael ei sefydlu yn gartref i gaethweision a ryddhawyd o'u caethiwed.	1836 Taith Hir, Groot Trek, ffermwyr Boer De Affrica i chwilio am fywyd gwell a diogelwch.	1855 David Livingstone yn cyrraedd Rhaeadr Victoria.	1869 Agor Camlas Suez.	1880–81, 1899–1902 Rhyfeloedd Boer yn Ne Affrica.
Asia	1751 Tsieina yn gorchfygu Tibet.	1819 Stanford Raffles yn sefydlu Singapore.	1839 Cytundeb Nanking yn rhoi Hong Kong i Brydain.	1857–8 Gwrthryfel milwyr India yn y Fyddin Brydeinig yn erbyn Prydain.	1872 Diwedd cyfnod y Samurai yn Japan.	1899–1900 Gwrthryfel Boxer yn Tsieina.
America	1775–83 Chwyldro America. 1776 Datganiad Annibyniaeth UDA. Roedd 18 o'r 56 a'i harwyddodd o dras Cymreig.	1791 Chwyldro Haiti wedi'i arwain gan Pierre Toussaint L'Ouverture.	1832 Samuel Morse yn dyfeisio'r telegraff.	1848 Rhuthr am aur i Califfornia.	1861–5 Rhyfel Cartref America. 1867 Creu Dominiwn Canada.	1896 Darganfuwyd aur yn y Klondyke, Canada.

Moroedd y De	1769 James Cook yn hawlio Seland Newydd ac Awstralia i Brydain.	1817 Ymfudwyr rhydd o Ewrop yn cyraedd Awstralia.	1840 Prydain a'r Maori yn arwyddo Cytundeb Waitangi.	1851 Darganfod aur yn Awstralia.	1860–70 Brwydro rhwng y dyn gwyn a'r Maori yn Seland Newydd.	1893 Seland Newydd yw'r wlad gyntaf i roi'r hawl i wragedd bleidleisio.
Ewrop	1762: Catherine Fawr yn teyrnasu dros Rwsia. 1789: Ymosod ar y Bastille yn cychwyn y Chwyldro Ffrengig.	1800 Uno Iwerddon a Phrydain 1804 Napoleon yn Ymerawdr Ffrainc.	1837 Y Frenhines Fictoria yn dechrau ei theyrnasiad.	1845 Newyn tatws yn Iwerddon. 1853–6 Rhyfel y Crimea, Ffrainc a Phrydain yn gorchfygu Rwsia.	1864 Sefydlu'r Groes Goch Ryngwladol. 1871 Otto von Bismarck yn sefydlu Ymerodraeth yr Almaen.	1884 Cynhadledd Berlin yn rhannu Affrica. 1896 Dechrau'r Gêmau Olympaidd modern.
Cymru	1735 Argyhoeddiad Daniel Rowland, Howel Harris a William Williams, Pantycelyn yn arwain at y Diwygiad Methodistaidd.	1792 Iolo Morganwg yn sefydlu Gorsedd Beirdd Ynys Prydain ar Fryn y Briallu, Llundain. 1797 Glaniad y Ffrancod ger Abergwaun.	1839 Gwrthryfel y Siartiaid yng Nghasnewydd. 1839–44 Helyntion Beca yng ngorllewin Cymru.	1847 Brad y Llyfrau Gleision yn argymell diddymu'r Gymraeg mewn addysg.	1865 Sefydlu'r Wladfa Gymreig ym Mhatagonia. 1868 Buddugoliaeth y Rhyddfrydwyr yn 'Yr Etholiad Mawr'.	1870 Cyfnod y 'Welsh Not' mewn ysgolion. 1872 Agor Coleg Prifysgol Cymru, Aberystwyth.

	1900 OC	1911 OC	1918 OC	1930 OC	1939 OC	1942 OC
Affrica	1910 Undeb De Affrica yn cael ei sefydlu o Weriniaethau'r Boer.	1917 Chad yn gwrthryfela yn erbyn teymasiad Ffrainc.	1922 Yr Aifft yn ennill ei hannibyniaeth oddi wrth Brydain.	1930: Ras Tafari yn cael ei goroni'n Haile Selassie I yn Ethiopia. 1935: Yr Eidal yn goresgyn Ethiopia.	1941 Rommel yn cyrraedd Libya er mwyn cynorthwyo'r Eidal.	1942 Brwydr El Alamein lle y gorchfygwyd yr Almaenwyr dan Rommel.
Asia	1904–5 Japan yn curo Rwsia mewn rhyfel.	1915 Mohandas Gandhi yn arweinydd Plaid Genedlaethol Cyngres India.	1919 Cyflafan Amritsar a milwyr Prydeinig yn saethu protestwyr heddychlon.	1934–5 Ymdaith hir Mao Tse-Tung.	1941–2 Japan yn cipio trefedigaethau'r Unol Daleithiau a Phrydain ger y Môr Tawel.	1945 Sefydlu Cyfundrefn y Cenhedloedd Unedig yn Efrog Newydd.
America	1909 Robert Peary yn cyrraedd Pegwn y Gogledd.	1914: Agor Camlas Panama. 1917: UDA yn ymuno â Ffrainc a Phrydain yn y Rhyfel Byd Cyntaf.	1920: Gwragedd yn UDA yn cael pleidleisio. 1920: Gwahardd gwerthu alcohol.	1931 Canada yn derbyn annibyniaeth gyfansoddiadol gan Brydain.	1941 Japan yn ymosod ar lynges America yn Pearl Harbour.	1945 Yr Unol Daleithiau yn profi'r Bom Atomig cyntaf.
Moroedd y De	1901 Cymanwlad Awstralia yn cael ei sefydlu.	1914 Awstralia a Seland Newydd yn ymuno â'r Cynghreiniaid.	1927 Canberra yn brifddinas Awstralia.	1937 Sefydlu awyrlu Seland Newydd.	1939 Seland Newydd ac Awstralia yn ymuno â'r Cynghreiniaid.	1942 Y Japaneaid yn bomio Darwin, Awstralia.

Ewrop	1904 *Entente Cordiale*: cyd-ddealltwriaeth gyfeillgar rhwng Prydain a Ffrainc.	1914–18: Y Rhyfel Byd Cyntaf. 1916: Gwrthryfel Iwerddon yn erbyn Prydain. 1917 Chwyldro Rwsia.	1924 Stalin yn arweinydd ar Rwsia. 1926 Streic Gyffredinol ym Mhrydain.	1933 Adolf Hitler yn Ganghellor yr Almaen. 1936–9 Rhyfel Cartref Sbaen.	1939–45 Yr Ail Ryfel Byd. 1941 Hitler yn ymosod ar yr Undeb Sofietaidd.	1943 Almaenwyr yn cael eu gyrru o'r Undeb Sofietaidd. 1945 Y Natsïaid yn ildio.
Cymru	1896, 1898 Streiciau Chwarel'r Penrhyn, a glowyr y De. 1900 Ethol Keir Hardy i'r Senedd yn aelod o'r Blaid Lafur Annibynnol.	1910 Terfysg Tonypandy. Galw milwyr i dawelu. 1911 Y Cyfrifiad yn nodi bod bron i filiwn yn siarad Cymraeg.	1916 Lloyd George o Lanystumdwy yn Brif Weinidog Prydain. 1922 Sefydlu Urdd Gobaith Cymru.	1936 Saunders Lewis, Lewis Valentine a D. J. Williams yn cynnau tân ar safle ysgol fomio arfaethedig Penyberth yn Llŷn.	1941 Yn Chwefror, Abertawe'n dioddef tair noson o fomio enbyd gan awyrennau'r Almaen. Lladdwyd 230.	1947 Gwladoli'r diwydiant glo. Sefydlu Eisteddfod Gydwladol Llangollen.
Affrica	1947 / 1949 Apartheid yn cael ei gyfreithloni yn Ne Affrica.	1953 / 1956 Argyfwng Suez. Byddin yr Aifft yn gorfodi Ffrainc a Phrydain i adael.	1960 / 1964 Arweinydd yr ANC, Nelson Mandela, yn cael ei garcharu am oes.	1967 / 1967 Trawsblannu calon o un corff i gorff dyn arall gan Dr Christian Barnard.	1976 / 1979 Disodli Idi Amin fel arweinydd Uganda. 1983 Newyn Ethiopia.	1986 / 1990 AIDS yn taro. 1994 Nelson Mandela yn Arlywydd du cyntaf De Affrica.

Asia	1948 Creu gwladwriaeth Israel. 1949 Creu Gweriniaeth Gomiwnyddol Tsieina, dan Mao.	1953 Hillary a Tenzing yn dringo Everest. 1954 Fietnam yn cael ei rhannu yn Ogledd a De.	1954-75 Rhyfel Fietnam. 1966 Chwyldro Diwylliannol yn Tsieina.	1967: Y Rhyfel Chwe Diwrnod rhwng Israel a'r Arabiaid. 1973: Rhyfel Yom Kippur rhwng Israel a'r Arabiaid.	1976 Unwyd De a Gogledd Fietnam. 1979 Chwyldro yn Iran.	1989 Protest o blaid democratiaeth yn Sgwâr Tiananmen. 1990-91 Rhyfel Cyntaf y Gwlff.
America	1950 Ymgyrch McCarthy yn erbyn Comiwnyddion. 1952 UDA yn profi'r bom Hydrogen cyntaf.	1955 Pobl duon Alabama yn gwrthod teithio ar fysiau penodedig. 1959: Chwyldro yng Nghiwba. Daw Fidel Castro i rym.	1962 Argyfwng taflegrau Ciwba. 1963 Yr Arlywydd John F. Kennedy yn cael ei lofruddio.	1968 Martin Luther King yn cael ei lofruddio. 1969 Neil Armstrong yn cerdded ar y Lleuad.	1982 Rhyfel Ynysoedd y Falklands. 1982 Canada yn ymwahanu oddi wrth Brydain.	1989 Yr UDA yn goresgyn Panama. 2001 Awyrennau'n dinistrio Canolfan Fasnachu'r Byd yn Efrog Newydd.
Moroedd y De	1951 Awstralia, Seland Newydd a'r Unol Daleithiau yn arwyddo Cytundeb ANZUS.	1959 Cytundeb yr Antarctig i ddiogelu'r cyfandir.	1962 Cynfrodorion Awstralia yn derbyn yr un hawl pleidleisio â phawb arall.	1975 Papua Guinea Newydd yn dod yn annibynnol o Brydain.	1985 Y Rainbow Warrior yn cael ei suddo yn Christchurch, Seland Newydd gan asiantiaid milwrol Ffrengig.	☜

Ewrop	1949 Rhannu'r Almaen yn Ddwyrain a Gorllewin. 1949 Ffurfio NATO.	1956 Chwalwyd chwyldro yn erbyn Comiwnyddiaeth yn Hwngari. 1957 Ffurfio'r EEC.	1961 Codi mur Berlin. 1961 Yuri Gagarin o'r Undeb Sofietaidd oedd y dyn cyntaf i deithio i'r gofod.	1968 Chwalu Gwrthryfel Prag. 1968 Protestiadau myfyrwyr Paris. 1969: Prydain yn anfon milwyr i Ogledd Iwerddon.	1979 Margaret Thatcher yw'r wraig gyntaf i fod yn Brif Weinidog Prydain.	1989 Dymchwel Mur Berlin. 1991 Datgymalu'r Undeb Sofietaidd. 2001 Lansio arian Ewro.
Cymru	1955 Caerdydd yn cael ei chydnabod yn brifddinas Cymru. 1956 Ysgol Glan Clwyd, yr ysgol uwchradd benodol ddwyieithog gyntaf.	1961 Sefydlu'r Cyngor Llyfrau Cymraeg. 1962 Sefydlu Cymdeithas yr Iaith Gymraeg.	1964 Sefydlu'r Swyddfa Gymreig. James Griffiths yn Ysgrifennydd Gwladol cyntaf Cymru. 1965 Boddi Cwm Tryweryn a phentref Capel Celyn er gwrthwynebiad enfawr.	1966 Ethol Gwynfor Evans yn Aelod Seneddol Caerfyrddin. Ef oedd Aelod Seneddol cyntaf Plaid Cymru. 1969 Arwisgo Charles Windsor yn Dywysog Cymru yng Nghastell Caernarfon.	1981 Y Cyfrifiad yn nodi bod hanner miliwn o Gymry Cymraeg. 1982 Sefydlu S4C. 1984-5 Streic y glowyr. 1993 Pasio Deddf yr Iaith Gymraeg.	Medi, 1997 Pleidlais o blaid Cynulliad Cenedlaethol i Gymru. Mai 1999 Etholiadau cyntaf y Cynulliad Cenedlaethol.

—— ENWAU PERSONOL ——

Huw:Huwcyn   enw arall ar Siôn Cwsg
Ifan   enw ar y glaw
Meuryn   beirniad mewn cystadleuaeth
                 Talwrn neu Ymryson y Beirdd
Morgan   yr enw ar yr hen degell mawr
Morus   enw ar y gwynt
Siôn a Siân   y ddau a geir mewn tŷ tywydd

—— BLWYDDYN AMAETHWR —— YNG NGHYFNOD Y TUDURIAID

IONAWR: braenaru tir gwenith a rhyg, paratoi'r gwndwn ar gyfer ceirch

CHWEFROR: aredig y gwndwn; hau ffa, pys a cheirch mewn tir sych adeg lleuad newydd, neu mewn tir gwlyb wedi'r lleuad newydd

MAWRTH: hau ffa, pys a cheirch ar ddechrau'r mis; aredig tir barlys

EBRILL: hau haidd, cywarch a llin mewn tir ffrwythlon

MAI: hau haidd yn gyffredinol; aredig tir ar gyfer gwenith a rhyg

MEHEFIN: lladd gwair mewn gweirgloddiau tir isel ger dyfroedd

GORFFENNAF: lladd gwair gweirgloddiau uchel; ddiwedd y mis, medi llafur crwn

AWST: medi rhyg a gwenith, a, diwedd y mis, medi ceirch ac aredig yn barod i wenith a rhyg

MEDI: medi haidd, pys a ffa ganol y mis, a hau gwenith a rhyg mewn tir ffrwythlon

HYDREF: hau gwenith a rhyg yn gyffredinol

TACHWEDD: torri coed ar gyfer trin aradr; braenaru tir ar gyfer haidd

RHAGFYR: braenaru tir ar gyfer haidd

── MANNAU SY'N ──
HAEDDU YMWELIAD

1 **Gorsaf Rheilffordd Tyndyrn** (hanner milltir i'r Gogledd
   o Dyndyrn ar yr A466)

2 **Teml y llynges a'r Tŷ Crwn, Trefynwy** (o'r bont dros
   afon Gwy, dilynwch yr A4136 Trefynwy–Staunton, ceir
   arwydd i'r Deml)

3 **Tafarn y *Skirrid*, Llanfihangel Crucornau** Efallai'r
   tafarndy hynaf yng Nghymru (ar yr A465 rhwng
   Y Fenni a Henffordd)

4 **Capel-y-Ffin** (yr A465 fel uchod ond troi ar heol fach
   i'r Gelli Gandryll)

5 **Capel Mair**, a Mynachdy Llanddewi Nant Hodni

6 Olion hynafol **Eglwys Merthyr Ishw**, Patrisio
   (Partrishow) (ar yr A465 rhwng Y Fenni a Henffordd,
   troi i 'Forest Coalpit' ac o hynny i Partrishow)

7 **Plasty Tredegyr** (gadael yr M4 ar gyffordd 28 a dilyn
   yr arwyddion at yr A48)

8 **Maen Chwŷf** (Carreg Siglo) ar y Comin, Pontypridd (ar ôl
   mynd heibio i'r Hen Bont a dilyn arwyddion Cilfynydd,
   croesi'r A4054 a dringo i'r ysbyty). Dilyn ymlaen ar yr
   heol, byddwch yn mynd heibio i'r tyrau a adeiladwyd
   gan Dr William Price

9 **Cromlechi Tinkinswood a Llwyneliddon** (St Lythans)
   (Dilynwch yr A48 o Gaerdydd i'r Bont-faen gan droi
   am blasty Dyffryn)

10 **Eglwys Ioan y Bedyddiwr** yn y Drenewydd yn Notais
   (Newton Nottage) (mae'r Drenewydd ar yr A4106)

11 **Abaty Margam** – Yr Orenfa, y Plasty a'r casgliad o hen
   feini yn yr Eglwys gerllaw (Gadewch yr M4 ar gyffordd 38,
   ymunwch â'r A48 a dilynwch yr arwyddion)

12 **Eglwys Ystumllwynarth, Mwmbwls** – ffenestri lliw,
   clychau Santiago

13 **Tŵr Paxton** (6 milltir o Gaerfyrddin ar y B400 Llanarthne
   ger Neuadd Middleton)

14 **Caeriw** (ar yr A4075 i'r gogledd o Benfro) – castell, melin
   heli, croes Geltaidd ar y sgwâr

15 **Capel Brynach**, Cwmyreglwys (yr A487 gogledd-
   ddwyrain Abergwaun, trwy Ddinas Cross ac yna'r
   arwydd Cwmyreglwys)

16 **Eglwys Brynach Sant**, Nanhyfer – Croes Geltaidd

17 **Cromlech Pentre Ifan** (de ddwyrain i Nanhyfer ar yr A487)

18 **Angle** (Sir Benfro) Capel y Pysgotwyr, Colomendy

19 **Bosherston, Capel Gofan Sant** (rhaid dringo 70 o stepiau
   cerrig hyd at y traeth) (Dilynwch y B4319 Castellmartin–
   Stackpole ond nid oes mynediad pan fydd baner rybudd)

20 **Eglwys y Mwnt** (Dilynwch y B4548 i Gwbert, wedyn
   Ferwig nes cyrraedd yr arwydd i *Mwnt*)

21 **Eglwys Llanwenog** a'i chorau cerfiedig a'i sgrin hynafol
   (Dilynwch y B4377 o Lanybydder)

22 **Llannerch Aeron** (Dilynwch yr A482 o Aberaeron i
   Lambed am ddwy filltir a hanner)

23 **Ystrad-fflur** (Trowch i'r B4343 yng nghanol pentref
   Pontrhydfendigaid)

24 **Abaty Cwm-hir**

25 **Castell Craig-y-Nos** (2 filltir i'r gogledd o Aber-craf ar yr
   A4067)

26 **Ogof Twm Siôn Cati**, Tywi Uchaf (Dilynwch yr heol
   tuag at Llyn Brianne o Randir-mwyn gan aros yn *Dinas*
   a dilyn llwybr yn ymyl afon Tywi at yr ogof)

27 **Sgwd yr Eira** (Mae ffordd i fynd ati o'r Lamb Inn
   Penderyn; angen sgidiau cryfion)

28 **Porth yr Ogof** (ger Ystradfellte Cwm Nedd)

29 **Tre'r Ceiri** ar gopa'r Eifl ym Mhenrhyn Llŷn (Dilynwch yr
   A499 i'r gogledd o Bwllheli, cymerwch y B4417 i Nefyn
   a llai na milltir o'r gyffordd y mae llwybr yn arwain at
   Dre'r Ceiri)

30 **Abaty Glyn-y-groes** (Dilynwch yr A542 i'r gogledd-
   orllewin o Langollen ac y mae Piler Eliseg o fewn
   cyrraedd ar hyd llwybr o'r dafarn gerllaw)

31 **Castell y Bere** (ger Llanfihangel-y-Pennant, nid nepell
o Abergynolwyn, ar y B4405, 6.5 milltir i'r gogledd-
ddwyrain o Dywyn, Meirionnydd)

32 **Bryn-celli-ddu** (Dilynwch yr A4080 ar Ynys Môn am
Llanddaniel-fab a cheir arwydd cyn cyrraedd y pentref)

33 **Gregynog** (Dilynwch y B4568 o'r Drenewydd gan droi i'r
B4389 am Tregynon lle y ceir arwydd Gregynog)

34 **Erddig** (2 filltir i'r de o Wrecsam ar yr A525 neu'r
A483/A5152, Croesoswallt)

35 **Castell Ewlo** (milltir i'r gogledd-orllewin o Ewlo, ger
Penarlâg, oddi ar yr A55. Ewch ar y B5125, a chwilio
am yr arwyddion i'r castell)

36 **Moel y Gaer, Treffynnon** cytiau o'r Oes Haearn ac olion
chwilio am blwm. (Dilynwch yr arwyddion am Rhosesmor
o ffordd yr A55; mae rhwng Rhosesmor a Berth-ddu,
ar y dde wrth deithio o Rosesmor)

37 **Llyn Geirionydd** (Cymerwch y ffordd fach o Gastell
Gwydyr, Llanrwst a dilynwch arwyddion Geirionydd.
Neu dilynwch y ffordd fach o Bont-y-Pair ym Metws-y-
Coed, neu'r ffordd o'r Tŷ Hyll, Betws-y-Coed)

38 **Ffynnon Gwenfrewi** (Ewch ar hyd Ffordd yr Arfordir,
yr A548 i'r Maes Glas lle mae maes parcio. Gadewch yr
A55 ar y ffordd i Dreffynnon a dilynwch yr arwyddion
hamdden ar y B5121)

39 **Eglwys Llanycil**, ger y Bala, lle claddwyd Thomas Charles.
(Dilynwch yr A494 o Lanuwchllyn am y Bala, ac mae'r
eglwys ar ochr Llyn Tegid, ar y dde)

40 **Castell Rhug**, milltir o Gorwen ar yr A494

—— ANGEL A AETH HEIBIO ——

Nid yw'n anghyffredin, pan fydd grŵp o bobl wedi dod ynghyd,
dros bryd o fwyd dyweder, i gyfnod o ddistawrwydd ddisgyn dros y
cwmni, er iddynt fod yn siaradus tan hynny. Yn ôl traddodiad, mae
hyn yn debyg o ddigwydd naill ai am ugain munud wedi'r awr neu
am ugain munud i'r awr. Mae'n debyg fod gan y Ffrancwyr
ymadrodd am y digwyddiad: *Un ange passé* – aeth angel heibio!

—— PEDWAR SWYDDOG AR HUGAIN ——
LLYS Y BRENIN
(YN ÓL Y CYFREITHIAU CYMREIG)

Swyddogion y Brenin	Swyddogion y Frenhines
Penteulu	Distain y Frenhines
Offeiriad Teulu	Offeiriad y Frenhines
Distain (Stiward)	Pengwastrawd y Frenhines
Pen Hebogydd	Llawforwyn y Frenhines
Barnwr Llys	Dryswr y Frenhines
Pengwastrawd (gwas ceffylau)	Cog y Frenhines
Pen-cynydd (heliwr)	Gwas Ystafell y Frenhines
Gwas Ystafell	Canhwyllydd y Frenhines
Bardd Teulu	
Gostegwr	
Meddydd (darllaw medd)	
Meddyg	
Trulliad (bwtler)	
Dryswr	
Cog	
Canhwyllydd	

—— RHAI O GYMERIADAU ——
CARREG BOETH

Lleoliad dychmygol cyfresi o straeon gan Harri Parri yw Carreg Boeth.

William John Tarw Botal	Meri Codwr Canu
Henri Claddu Pawb	Dwalad Pierce Cerrig Pryfaid
Ifans y Coparét	Wil Pwmp
John Ŵan Caneri	Wilias Motos
Nyrs beic	Mari'r Grepach
Nedw'r Felin	Moyra Maclean Tu Hwnt
Robin Llefrith	i'r Afon
Elsi Gwallt	Idwal Foel Grachan
Albert y Fawnog	Lloyd y Twrne
Dafydd Robaitsh Heidden Sur	Dorcas Tŷ Capel

—— ARWYDDOCÂD ANIFEILIAID —— MEWN ARFBEISIAU HERODROL

ALARCH   Yn dynodi bod y deilydd cyntaf yn ganwr da.

BAEDD   Arwydd o ryfelwr cryf, dichellgar, cenfigennus y byddai'n well ganddo farw na ffoi.

CARW   Dynodi bod y deilydd cyntaf yn dlawd yn ei ieuenctid cyn tyfu'n gyfoethog, a'i fod yn ddoeth mewn rhyfel.

LLEW   Arwydd o ddewrder, creulondeb, cadernid, boneddigeiddrwydd a haelioni.

LLEWPART   Dynodi bod deilydd cyntaf yr arfbais wedi bod mewn perthynas odinebus.

MARCH   Arwydd o ŵr parod i ymladd ac o ŵr lluniaidd.

—— DYLANWAD MIS EI ENI —— AR GYMERIAD DYN

Y mab a aned mis Ionawr, oer fydd ei natur a'i anian
Chwefror, llengar a digrif
Mawrth, gorthrymedig ac ofnog
Ebrill, gwastad a chyfoethog
Mai, prudd a doeth
Mehefin, annoeth a chyfannaidd
Gorffennaf, cybydd a llidiog
Awst, diwair a ffyddlon a phrudd
Medi, cymedrol fydd yn ei holl weithredoedd
Hydref, drwg fydd ei anian, talu drwg dros dda bob amser
Tachwedd, seithydd da a chall a meddyg da hefyd.
Rhagfyr, barnwr cyfiawn a godinebus.

—— Y MISOEDD ——

Ionawr a dery (taro) i lawr,
Chwefror, ysbail cawr,
Mawrth a ladd,
Ebrill a fling (blingo),
Mai a gwyd y galon,
Mehefin, llawen gorsing
   (cynhaliwr),
Gorffennaf, llawen buarth,
Awst, llawen gŵr y tŷ,
Medi, llawen adar,
Hydref, llon cyfarwar (difyr, gwâr),
Tachwedd, dechrau galar,
Rhagfyr, gocheled ei fâr
   (digofaint).

— LLEOLIAD —
Y GÊMAU OLYMPAIDD MODERN

1896	Athen	Gwlad Groeg
1900	Paris	Ffrainc
1904	St Louis	UDA
1908	Llundain	Prydain
1912	Stockholm	Sweden
1920	Antwerp	Gwlad Belg
1924	Paris	Ffrainc
1928	Amsterdam	Yr Iseldiroedd
1932	Los Angeles	UDA
1936	Berlin	Yr Almaen
1948	Llundain	Prydain
1952	Helsinki	Y Ffindir
1956	Melbourne	Awstralia
1960	Rhufain	Yr Eidal
1964	Tokyo	Japan
1968	Dinas Mexico	Mexico
1972	Munich	Yr Almaen
1976	Montreal	Canada
1980	Mosgo	Rwsia
1984	Los Angeles	UDA
1988	Seoul	De Corea
1992	Barcelona	Sbaen
1996	Atlanta	UDA
2000	Sydney	Awstralia
2004	Athen	Gwlad Groeg

—— Technoleg Gwybodaeth ——
a'r Rhyngrwyd

Os ymunwch â'ch llyfrgell gyhoeddus leol, na fydd yn costio
dimai goch y delyn ichi, bydd eich rhif llyfrgell yn rhoi mynediad
am ddim, o'ch cyfrifiadur gartref, i gasgliad helaeth o lyfrau
ymchwil ac archifau papurau newydd cenedlaethol (gan gynnwys
y *Western Mail*).

Os defnyddiwch Google a gosod 'Lists' a 'Wales' neu 'Cymru' cewch
hyd i bob math o bethau diddorol, e.e. Baddondai Twrcaidd:
www.victorianturkishbath.org/6DIRECTORY/ListBodies/WalesSF.html

Cyffredinol
* www.cymruarywe.org
  Llyfrgell Genedlaethol, porth cyffredinol at wybodaeth.
* www.askcymru.org.uk
  Safle lle bydd llyfrgellwyr yn derbyn ac yn ateb holiadau.

Cynghorau
* www.oultwood.com

Y Gymraeg
* www.e-gymraeg.org
  Safle cyfieithwyr proffesiynol sy'n cynnig atebion i 'beth
  yw'r gair Cymraeg am . . . ?'
* www.gwybodiadur.co.uk
  Casgliad o wybodaeth am y Gymraeg a deunyddiau dysgu'r
  Gymraeg.
* www.estelnet.com/catalunyacymru
  Gwefan sy'n cynnig pob math o wybodaeth gan gynnwys
  hen destunau Cymraeg.
* www.booksfromthepast.org/
* www.geiriadur.net/
* http://users.comlab.ox.ac.uk/geraint.jones/gwasg.aredig/odliadur/
  Odliadur
* www.cynghanedd.com/

Y Cynulliad
• www.cymru.gov.uk/index.htm

Llyfrau
• www.gwales.com
   Gwefan Cyngor Llyfrau Cymru yn cyflwyno casgliad
   helaeth o adolygiadau a ffordd i brynu llyfrau ar-lein.

Papurau Newydd
• www.wrx.zen.co.uk/wales.htm

Mynyddoedd
• http://v-g.me.uk/Hill-Lists/Hill-Lists-WMtsbyArea.htm

Trysorau a Henebion
• www.tlysau.org.uk/
   Gwefan Casglu'r Tlysau lle ceir 20,000 o luniau a
   gwybodaeth am safleoedd a chreiriau arbennig.
• www.coflein.gov.uk
   Gwefan Comisiwn Brenhinol Henebion Cymru.

—— ESGOBAETHAU CYMRU ——

Eglwysi Cadeiriol

Yr Eglwys yng Nghymru

Bangor	Eglwys Deiniol Sant
Llandaf	Eglwys San Pedr a San Paul
Trefynwy	Eglwys Gwynllyw Sant
	(St Woolo's, Casnewydd)
Llanelwy	Eglwys Llanelwy
Tyddewi	Eglwys Dewi Sant ac Andreas
Abertawe &	
Aberhonddu	Eglwys Ioan Efengylydd

Yr Eglwys Babyddol

Caerdydd	Eglwys Dewi Sant
Mynyw	Eglwys Joseph Sant (Abertawe)
Wrecsam	Eglwys y Santes Fair

—— CREFFT Y SAER MAEN ——

10 peth i'w gwneud â sach:

1 Rhoi arfau, offer gwaith, bag bwyd a radio ynddi i'w cario at y gwaith.

2 Gwneud barclod/ffedog am eich canol.

3 Gwneud clogyn a chwfl i'ch arbed rhag y tywydd.

4 O'i gosod yn fflat ar y ddaear, rhoi carreg arni a llusgo'r garreg.

5 Gyda charreg fawr, gall dau weithiwr ei chodi i'w lle yn y sach.

6 Dan eich penliniau gall eu harbed rhag fferru ar y ddaear.

7 Wedi'i thorri'n ddau a'i chlymu ar eich coesau, gall arbed y trywsus.

8 Pe bai eich cerbyd yn mynd yn sownd mewn tir meddal, byddai'r sach yn rhywbeth i'r teiar gydio ynddi a'ch cael chi allan o dwll.

9 Gallwch sychu'ch dwylo ynddi.

10 Gallwch eistedd arni amser paned.

Alaw Jones yn *Llafar Gwlad.*

—— RYGBI ——

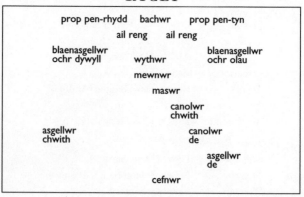

prop pen-rhydd   bachwr   prop pen-tyn

ail reng   ail reng

blaenasgellwr ochr dywyll

blaenasgellwr ochr olau

wythwr

mewnwr

maswr

canolwr chwith

asgellwr chwith

canolwr de

asgellwr de

cefnwr

—— Y PLANEDAU ——

Yn nhrefn eu pellter oddi wrth yr Haul

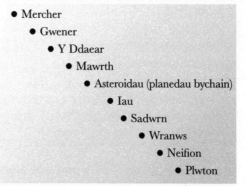

- Mercher
  - Gwener
    - Y Ddaear
      - Mawrth
        - Asteroidau (planedau bychain)
          - Iau
            - Sadwrn
              - Wranws
                - Neifion
                  - Plwton

—— GAIA ——

Mae atmosffer y byd, sy'n holl bwysig i ni fodau dynol, yn gymysgedd bur annhebygol o nwyon, ac mae'r union berthynas rhwng y nwyon hyn yn cael ei rheoli gan ffactorau megis erydiad y creigiau a gwaith planhigion yn newid carbon deuocsid yn ocsygen. Gaia yw'r enw a roir i'r cysyniad fod y Ddaear a phopeth sydd arni (e.e. yr anifeiliaid a'r creigiau) yn cydweithio fel un system fyw i gynhyrchu'r amodau angenrheidiol i barhad bywyd ar y Ddaear a'u cadw dan reolaeth.

—— Y BEIBL ——

Yn hwn mae chwech a thrigain
o LYFRAU cywrain law;
PENODAU pur i'n harwain,
Mil, cant, wyth deg a naw.
Cynhwysa o ADNODAU,
yn wersi da bob gair
Un fil ar ddeg ar hugain,
Un cant, saith deg a thair.

Yr un peth yw 'Methu dod o hyd iddo' â 'Bod hebddo' . . .

miogod 71

mis geni, dylanwad 178

misi 59

moch 79, 89

Mochyn Du, y 100

modfedd 68

modiwlator, y,
    cyweiriadur 150

Moelona 33

moelyd clustiau 59

Mohs, graddfa caledwch 84

mollt 87

Monwysyn 130

môr-forynion 36

Morfudd 108

Morgan 7, 173

Morgan, Cliff 98

Morgan, Derec Llwyd 22

Morgan, Griffith
    (Guto Nyth-brân) 15, 33

Morgan, Syr Harry 114

Morgan, Owen 33

Morgan, yr Esgob William 15

Morien 33

Moroedd y De, hanes 161,
    162, 164, 166, 168-9, 171

Morris, Lewis 134

Morris, William 121

Morris-Jones, John 123, 126,
    135, 137

Morrow, Sheila 94

Morus 173

morynion a gweision fferm 55

Murray the Hump 114

mwdwl 156

mwng 156

mwn 59

Mwnt 175

mwrno cloch 42

mwrw 68

mwtrin 71

mwyalchen 79

Mwyalchen Cilgwri 18

Myfyr Morganwg 30, 31, 134

mylliwr 105

myn 79

mynawyd y bugail 145

mynydda 94

mynyddoedd 18, 181

myswynog 81

Nanhyfer, eglwys Brynach
    Sant 175

naw helwriaeth 35

naw nos olau 102

nawfed ach 29

neisis 50

neithior 42

Nest 7, 108, 113

Nicholas, Rhys 120

Nicholls, Gwyn 98

Niclas y Glais 114

nicloth 50

Nidum 144

nished 50

nithio 156

niwc 55

Nod Cyfrin, y 31

nofio 95

noson lawen 42

nyth cwhwrw 102

Nyth-brân, Llanwynno 15

odliadur 180

odyn 156

oen 79, 87

Oerddwr 22

oes yr arth a'r blaidd 102

Nodiadau~